샐러리맨의

기분전환 1g

샐러리맨의 **기분전환 1g**

2쇄 인쇄 | 2015년 03월 10일
초판 발행 | 2015년 03월 02일

저자 | 오현승

펴낸이 | 고봉석
책임편집 | 곽선정
편집디자인 | 이경숙
일러스트 | 이진이
펴낸곳 | **이서원**
주소 | 서울시 서초구 신반포로 43길 23-10 서광빌딩 3층
전화 | 02-3444-9522
팩스 | 02-6499-1025
이메일 | books2030@naver.com
출판등록 | 2006년 6월 2일 제22-2935호

ISBN | 978-89-97714-43-8

이 도서의 국립중앙도서관 출판예정도서목록(CIP)은 서지정보유통지원시스템 홈페이지(http://seoji.nl.go.kr)와 국가자료
공동목록시스템(http://www.nl.go.kr/kolisnet)에서 이용하실 수 있습니다. (CIP제어번호 : CIP2015004026)

샐러리맨의

기분전환 1g

오 현 승 지음

이서원

차

례

시작하며

"뭐 그런 걸로 울어!"

어린 저에게 '그런 걸로'는 큰일이었습니다.

참아야 할 일이 많았지만 마음이 그렇지 못한데 그렇지 않은 척하려니 더 서러웠는지 모릅니다.

어차피 시간이 흐르면 이해하고 견디도록 성장하던데 그냥 울게 내버려둘걸….

왜 그렇게 참느라 애썼는지 나에게 미안합니다.

사람들은 유명한 작품을 좋아하는 것 같습니다.

하지만 화려하지 않아도 점점 나아지는 그림을 곁에 두고 보는 맛이 더 나은 경우도 있을 겁니다.

　아직 미완성이라 새롭게 그려나갈 여지가 있거든요.

　그러니 여러분은 이제부터 '알아서 좋아지겠지' 막연히 기다리지 마시고 의미 있는 눈물로 가슴을 개운하게 적셔, 한결 좋아진 기분을 느껴보세요.

　당신에게는 그럴 만한 사연이 잔뜩 있는데 도무지 찾아주질 않으니 마음이 주인에게 더 야속하고 서운한 건지도 모릅니다.

　그러다 울고 싶으면 그 감정을 따르세요.

　한 방울에 고작 0.1mg 하는 눈물을 펑펑 쏟아 1g은 족히 흘릴 수 있을 겁니다.

　기분이 좋아지는 1g 말입니다.

　얼마 전 「세얼간이³idiots」란 인도영화를 봤습니다. 전혀 기대하지 않고 본 영화에 감동받아 오히려 10,000원 번 기분이었죠.

　저의 책이 여러분께 그런 기분이길 바랍니다.

2015년

오 현 승

제1장

젊음이라는
티켓

마차를
녹이다

남자는 쇠젓가락을 U자로 휘어잡았다. 입술을 뒤집으면 금방이라도 송곳니가 튀어나올 얼굴이 떨림을 숨기려 이를 물었다. 동작은 멈췄지만 그가 손만 뻗으면 상대는 곧바로 빛을 잃는다. 사고를 막기 위해 어떻게든 말려야 했다. 태어나 처음으로 얼음이 녹을 때 이는 냉기를 사람에게 느꼈고 나는 왜 그들에게 가까이 가고 있나 원망하는 중이었다. 사각 테이블을 가운데 놓고 서로를 노려보며 꿈쩍 않는 여섯 장정들의 정적. 그것은 흡사 무궁화꽃이 피었습니다 술래가 고개를 돌리기 직전과 같았나.

옆 테이블에 앉아 오가다 몸이 부딪쳐 일어난 시비였지만 어쩌면 그들은 분노를 풀만 한 '꺼리'를 찾고 있었는지 모른다.

술이 무기였다. 그때부터 병, 잔, 컵, 숟가락과 젓가락은 모두 살인의 모티브였다.

빈손으로 말리면 화를 입을 수 있었다. 천천히 다가가 공짜 안주를 놓고 맥주병 따는 소리로 1라운드 종을 쳤다. 펑! 알록 달록한 멍게가 그들의 시선을 빼앗았다. 한 잔 권하며 너스레를 떨자 못 이기는 척 받았다. 잔을 모아 무작정 건배했다. 마침내 술래는 움직이는 사람을 모두 잡고 상황 종료에 안도의 한숨을 내쉬었지만 그들은 음식을 다 먹고 조용히 나가 기어이 피투성이가 되도록 치고받았다. 이는 대학시절 형과 함께 운영했던 포장마차에서 마주치는, 숱한 날들 중 하루였다.

경제가 초토화된 1997년 말, 대한민국 정부는 IMF에게서 돈을 빌리는 데 성공했다며 기자회견을 했다. 금융시장이 힘을 잃자 많은 은행이 통폐합되었고, 기업들의 구조조정으로 수십만 명의 실직자가 쏟아져나왔다. 해고된 이들이 퇴직금 몇 푼 들고 갈 수 있는 곳은 소주 파는 술집뿐이었고 그들의 괴로움은 그 해 판매된 소주량이 말해주었다. 주조 회사가 느꼈을 쓸쓸한 행복이 남의 일 같지 않았던 건, 나 역시 그들에게 위로주를 팔며 돈을 벌었기 때문이리라.

아버지는 유리 공사업을 하셨다. 우리 역시 IMF를 피할 수 없었고 수입이 없으니 뭐라도 해야 했다. 공사 자재를 쌓아 놓았던 아버지의 넓은 작업장을 그냥 두고 보기 아까워 테이블과 의자 몇 개를 갖다놓고 음식을 팔아보기로 했다. 조리가 복잡하지 않고 누구나 먹을 수 있는 메뉴가 없을까 고심한 끝에 국수가 떠올랐다. 사람들은 장시간 끓여 구수해진 멸치 국물과 쫄깃하게 삶아진 국수 면을 목으로 넘기며 한마디씩 했다.

"소주 한잔하면 좋겠다."

그 때부터 본격적인 술장사가 시작되었다. 작업장은 사방이 철판으로 둘러싸여 밖이 보이지 않았지만 천장이 없어 밤에는 별이 보였다. 시골 앞마당에 불을 피우고 평상에 누워 별을 보는 기분이랄까. 빨랫줄 끝을 작업장 네 개의 모서리에 십자로 교차시켜 묶고 그 줄에 백열전등을 달았다. 불빛은 추억 같았고 술 한 잔 넘길 때 얼굴을 만지던 바람은 끈적한 미역 줄기처럼 찰졌다.

가게는 점점 사람들로 붐볐다. 테이블 개수가 늘어날수록 손님들의 거리는 가까워졌다. 그럴듯한 진짜 포장마차우리는 줄여서 '마차'라 부름가 완성되자 우리는 가게를 대표할 안주가 필요했다. 무엇보다 소주나 맥주에 어울려야 했고 한국인 입맛에 맞게 매콤해야 했으며 저렴한 원가에 손님의 눈과 코를 사로잡을 비주얼과 냄새를 갖춰야 했다. 바로 주꾸미 철판구이였다. 손님들은 고추장을 뒤집어쓴 주꾸미가 볶아질 때까지 기다리는 게 쉽지 않았다. 그 사이 미리 주문한 소주를 자연스레 한 잔, 지글거리는 소리에 또 한 잔 마셨다. 마지막으로 철판 위에 밥을 볶아주면 맥주까지 시켜 안주 하나에 술 몇 병은 기본이었다.

주꾸미는 보통 냉동으로 들어오기 때문에 주문 즉시 볶아 먹을 수 있도록 미리 다듬어놔야 했다. 이때 내장을 없애는 일은 쉬웠지만 문제는 주꾸미 빨판에 붙은 진흙이었다. 몸집이 작아 그마저 잘라내면 먹을 게 없었다. 맑은 물이 날 때까지 헹궈내야 했다. 그러느라고 옷과 신발에 물이 튀었다. 여름에는 덥기 때문에 장화 대신 슬리퍼를 신었는데 진흙물이 발가락과 발톱 사이로 스며들었다. 한 번 박힌 냄새는 쉽게 없어지지 않았다. 솔로 살갗이 벗겨지도록 문질러도 주꾸미 특유의 그 비릿하고 구린 냄새가 남아 여자친구는 손만 잡으면 킁킁거렸다.

음식과 분위기로 끝난 게 아니었다. 키 180의 건장하고 늘씬한 두 형제가 왔다 갔다 하며 마차를 녹였다. 여자 손님이 많아지며 가게는 착한 술집이 되었고 남자 손님이 몰리는 것은 시간문제였다. 그야말로 '미어터지는' 가게였다. 안주가 비쌌지만 사람들은 서로 먹겠다며 달려들었다. 불편하고 딱딱한 플라스틱 의자를 선점하려 먼저와 기다리는 진풍경도 벌어졌다. 카드단말기가 없어 어쩔 수 없이 현금 결제를 해야 했다. 이렇다 할 돈통이 없어 작업대 밑에 달린 서랍에 장판을 깔아 그 밑으로 돈을 넣자 돈이 돈을 밀었다. '돈장판'이었다. 저녁 6시부터 다음날 새벽 4시까지 벌리는 돈은 빚을 갚고 집까지 장만할 기세였다.

「장사의 신」 우노 다카시 사장은 어묵을 사다 삶아만 줘도 몇 배를 버는 선술집처럼 돈벌기 쉬운 장사가 없다고 했다. 그의 말이 맞다. 소주도 뚜껑만 따면 모조리 돈이었다. 손님이 마시다 남긴, 깨끗한 술은 한 통 모았다가 다른 필요한 손님에게 물컵 크기로 1잔을 내주면 1천 원이었다. 누가 먹겠나 싶지만 주로 일일 용역을 마친 사람들이 돌아가는 길에 들러 마셨다. 거기에 기본 안주로 미역 줄기와 양파, 오이를 좀 얹어주면 다음 날 같이 일하는 사람들을 전부 데려왔다. 달궈진 철판의 비린내를 없앨 때도 남은 소주를 부으면 불꽃이 일어 냄새를 없앴다. 소의 뼈가 사골로 팔리면서 마지막끼지 효자 노릇 하듯, 소주도 자신이 가진 모든 걸 내놓고 고물상에 몸을 던져 병값으로 대미를 장식했다.

마감 시간이 다가오면 손님이 남긴, 초록 상추 위의 데친 오징어는 형과 함께 먹는 귀한 안주였다. 통통히 오른 연보라색 살집을 초장에 찍어 넣고 소주 한 잔을 넘길 때 보는 푸른 새벽빛은 오늘 하루를 열심히 살았다는 희망이었다.

그렇게 잘 나가던 어느 날, 한 남자가 나타났다. 그 역시 인근에 우리처럼 포장마차를 해서 먹고 사는 사람이 아닐까 싶은.

그는 개시부터 소주 한 병을 시켜놓고 약을 올렸다. 기본안주를 바꿔주면 그릇에 초장을 범벅해 놓고 또 바꿔달라 했다. 그러기를 두어 번, 주인을 불러달라며 엄마를 찾았다. 우리 쪽에선 가게가 시끄러울수록 손해였다. 형은 그를 달랬다. 최선을 다했다. 고개를 끄덕이는 것 같더니 이번에는 아예 접시를 엎었다. 그 때 저쪽에서 지켜보던 엄마가 다가왔다. 그러자 그가 입에 담지 못할 거친 욕을 퍼부으며 달려들었다.

세상에 엄마는 많다. 얼굴과 몸이 같은 사람은 단 한 명도 없지만 떠올리면 만들어지는 저마다의 느낌과 감정은 그 언저리 어딘가에 비슷하게 군힌다. 엄마….

게다가 나의 온 머리와 가슴은 건강이 좋지 않은 엄마를 지켜야 한다는 프로그램으로 가득 차 있었다.

달려들던 그가 앞을 막는 내 눈빛에서 무언가를 느낀 듯 멈칫하며 '그게 아니고'를 반복했다. 뒷걸음질 치는 그의 옆을 빠르게 비켜 문을 잠갔다. 내가 없을 때를 대비해 다시는 그런 행동을 하지 못하게 할 필요가 있었다. 나는 혈기 왕성한 20살 청년이었고 대학의 낭만을 생활전선과 바꾼 분노와 서러움의 주먹이었다. 형이 없었다면 아마 그는 죽었을지도 모른다.

신기하게도 그는 잠긴 문을 열고 도망쳤다. 엄마는 예감이 안 좋으셨는지 나와 형에게 빨리 피하라 외쳤다. 우리는 뒷문을 통해 나갔고, 도망친 그가 폭행을 당했다며 부른 경찰이 도착했을 때, 형제는 이미 사라지고 없었다.

며칠 후에야 마차 문을 다시 열었다. 단골들은 주꾸미 철판 볶음과 국수에 목말라했다. 무섭게 벌리는 현금 덩어리에 힘들어도 힘든 줄 몰랐다. 하지만 젊은 우리와 달리 약했던 엄마는 병들고 있었다. 낮과 밤이 바뀌면 건강한 사람도 몸에 이상이 생기는데 이미 디스크 수술로 링을 2개나 박고 살았던 엄마에게 포장마차 일은 처음부터 무리였다. 허리 수술을 받은 사람 열의 아홉은 목뼈도 안 좋을 가능성이 높다. 손끝이 저리고 한쪽 어깨가 떨어져 나가는 듯하며 감각이 둔해졌다면 많이 진행된 것이다. 엄마는 이미 한참 전에 망가졌지만 자식들이

젊음이라는 티켓

고생하는 것을 모른 척할 수 없어 고통을 진통제로 버틴 것이었다.

결국, 엄마가 쓰러지셨다. 얼굴이 돌아가고 혀가 말렸다. 눈을 떠도 얼굴 한쪽이 찌그러져 옆에서 보면 눈을 감고 있는 것처럼 보였다. 겨우 말씀은 하셨지만 발음이 부정확해 무슨 말인지 알아들을 수 없었다. 남은 생을 말린 혀로 살아야 할지 모른다…. 비록 빚은 남았고 집 장만의 꿈이 날아갔지만 엄마가 살아 계신 것에 만족했다.

아무리 형제가 서빙을 잘한다 해도 엄마의 빈자리는 컸다. 형이 어깨너머로 배웠던 요리를 했지만 흉내에 불과했고, 맛을 본 사람들의 음식평은 냉정했다. 손님은 돌아섰고 매출은 급감했다. 형과 나도 학교로 돌아갈 시기가 되었다. 더 이상 미룰 수 없었다.

음식 장사를 오래 했다는 사람이 나타나 마차를 넘겼지만 엄마 국수와 일팔공180 형제 그리고 주꾸미 철판볶음을 그리던 이들이 떠나며 가게는 문을 닫았다.

마차에서 많은 사람을 만났다. 그들의 생각과 말, 행동은 나를 다지는 틀이었고 지금에 와 그것은 어려움을 구분하고 이

20

셜리앤의 기묘전환 19

겨낼 수 있는 힘이 되었다. 그중에 특별히 잊혀지지 않는 손님이 있었는데 새벽 3시가 되면 찾아오는, 술집에서 일하는 여성들이었다. 그들 역시 고단한 일과를 끝내고 한잔하러 오는 단골 손님이었다.

나는 처음에 그들이 가장 두려워하는 것이 성병일 거라 생각했다. 하지만 그보다 더 큰 것이 있었다. 끝. 그들은 끝을 원했다. 그 생활이 끝나지 않을까 봐 그래서 밝은 곳으로 나갈 수 없을까 봐 두려워하고 있었다. 내겐 장사를 그만둘 수 있는 끝이 있었고 돌아갈 학교가 있었다. 원치 않는 인생에 종료 버튼이 없다는 것은 희망이 없는 삶보다 더 큰 고통이 아닐까.

주문한 메뉴보다 많은 안주를 서비스로 얹었다. 시간이 지나면 냉장고에 들어가도 상할 생물들이라 가능했다. 단골이라 함은 같은 값에 후한 마음을 줘도 아깝지 않을 사람일터.

다 좋았는데 한 가지, 그들이 시킨 담배 심부름이 말썽이었다. 정식 사업장이 아니라 공급을 받을 수 없어 필요한 손님에게는 돈을 받고 직접 사다 줬다. 1997년도 THIS라는 담뱃값 700원을 요구하는 나에게 그들은 다음과 같은 못된 묘기를 부렸다.

엄지손가락 위에 100원을 올려놓고 허공으로 튕겨서 하나,

둘, 셋… 그러기를 일곱 번. 쭈그리고 앉아 6개를 찾았지만 1개는 보이지 않았다. 어두워 찾기가 여간 힘든 게 아니었다. 동전을 줍다 보면 기분이 묘한 게, 따로 시간 내 수련을 받을 필요가 없었다. 인내 1개. 인내 2개. 인내 3개…. 인내 7개.

그런 놀림이라면 나도 화를 낼 수 있었지만 오히려 그 순간이 현실을 인정하고 끝을 버티게 한 희망의 몰핀이 돼 주었다. 동전을 던졌고 내가 줍는다 해서 그들이 마신 술값을 치르지 않을 수는 없었으니까.

십수년이 지났고, 오랜만에 내가 했던 가게와 많이 닮은 술집에서 한잔했다. 겹겹이 옷을 입고 묵묵히 칼질을 하시는 아주머니와 그 옆에서 바삐 움직이는 아저씨를 보며 나는 지난날을 인정했다. 장사를 해서 번 돈으로 학교에 갈 수 있었고 사회에 나와 1인 몫을 하며 살 수 있게 한 튼튼한 밑그림이 포장마차였다면 그 때가 참 고마운 시간이었다고.

꿈은 사라지지
않는다

미칠 듯 사랑했던 기억이 추억들이 너를 찾고 있지만

너 이상 사랑이란 변명에 너를 가둘 수 없어

– 김범수 「보고싶다」 중에서

언제 들어도 좋은 가사와 아름다운 멜로디. 4분 동안 사랑과 이별, 가족, 우정, 꿈으로 사람의 마음을 들었다 놨다 하는 음악. 그런 음악을 만드는 작곡, 작사가 그리고 가수는 진정 창조자다.

특히 곡을 구성하고 멜로디를 만들어 멋진 옷을 입히는 작곡가의 매력은 강렬했다. 뮤지션이 되기 위해 20대의 절반을 녹여 넣은 지난날이 결실을 못 맺어 조금 아쉽지만 진정 가슴

시리게 안타까운 것은 그 꿈을 너무 쉽게 포기한 일이다.

악보를 보면 기분이 좋았다. 왜 그랬는지는 알 수 없다. 예쁜 꽃을 보면 그냥 웃음이 나고 마음이 설레듯 나에게 음표는 꽃이었다. 동그랗고 까만 점들을 약속대로만 연결시켜주면 아름다운 노래가 된다는 건 대단한 동맹이었다. 특히 8분음표와 16분음표는 모양부터 근사했다. 길게 때로는 짧게. 흰 종이에 마구 칠해 놓고 보면 이미 나는 작곡가가 된 기분이었다. 그리고 진짜 곡을 쓰고 싶다는 욕구가 생겼다. 음악 교육을 제대로 받은 적은 없었지만 할 수 있다고 믿었다. 믿으니 이뤄질 것 같았다. 책을 사서 보고 바닥을 두드리며 리듬을 익히는 모든 일은 즐겁고 행복했다.

고등학교 2학년, 18살이 느낄 만한 감정과 멜로디가 묶여 그럴 듯한 화음이 만들어졌다. 한 마디씩 채워간 악보가 완성될 즈음 기타에 맞춰 부르는 노래는 콘서트였다. 이윽고 "잘한다! 좋다!"는 주변 사람들의 칭찬은 나의 결심을 굳힌다. 그리고 다짐했다. 이 길을 가자고.

보내라는 말은 없었지만 음반기획사 수십 군데에 곡을 보냈다. 무모했지만 간절한 믿음이 응답한 걸까? 작지만 나름 알

찬 기획사에서 연락이 왔다. 엄밀히 말하면 1인 기업의 유명한 작사가였다. 인연이 시작되자 작곡에 대한 포부를 이해한다며 나를 보다 큰 곳으로 보내주었다. 그곳은 밤새도록 곡 작업을 할 수 있는 환경이 갖춰져 있었다. 유명 가수들이 녹음실에서 노래하는 것을 보고 있으면 금방이라도 작곡가라는 꿈이 이루어질 것 같았다.

가수들의 녹음 스타일은 제각각이었다. 지금은 해체하고 없지만 여름 하면 떠오르는 유명한 혼성그룹의 여성 멤버는 녹음 부스에 들어가면 조명부터 낮췄다. 어떤 가수는 노래하다 중간에 나와 머리에 젤과 무스를 바르고 선글라스까지 낀 후 무대에 오른 것처럼 불렀다. 고음에서 발음이 안되는 이는 가사를 바꿔 작사가를 긴급 호출하기도 했다. 뛰어난 가창력의 가수는 '한 번에 간다'는 표현을 쓰는데 마치 라이브 방송을 하듯 중간에 끊지 않고 부르기를 수차례, 마음에 들 때까지 불렀다. 탄탄한 실력과 성대가 경이로울 정도다. 신인가수는 경험이 없어 작곡가에게 지도를 받다 보면 혼이 나고 때론 울기도 해 녹음이 중단되는 일이 많았다. 역으로 베테랑 가수가 신인 작곡가를 혼내기도 했다. 그런 우여곡절 끝에 신인 작곡가의 곡이 히트를 치게 되면 여기저기서 곡을 달라는 요청이 쇄도했다. 하지만 그렇게 되기까지 뼈를 깎는 노력은 물론이거니와 곡이 선택되지 않았을 때 불어닥칠 경제적인 어려움도 각오해야 했다. 세상 모든 일이 마찬가지겠지만 실력만큼이나 운도 많이 따라줘야 하는 게 대중음악이라 그야말로 좁고 험난한 길이었다.

그 즈음, 인터넷 문화가 확산되면서 개인이 소장하고 있던 영상이나 음악 파일을 여러 사람과 공유하는 일도 점점 늘게 되었다. 곧 음원이 소액에 유통되는 시장이 형성되었고 1만 원 이상 하는 CD에 담긴 노래를 전부 내려받는데 5천원이면 충분했다. CD가 팔리지 않으니 저작권료에 대한 수입도 장담할 수 없었다. 게다가 가수에게 곡을 주고 녹음까지 마쳐도 대부분의 기획사는 제때 입금하지 않았다. 결제를 해달라고 전화해 사정하는 사부님을 보며 현실이 녹록지 않음을 느꼈다.

마음이 흔들리자 나는 애꿎은 장비 탓을 하며 내 자신에게 좋은 노래를 만들기 힘들겠다는 이상한 핑계까지 댔다. 순간, 작곡을 하면서 먹고 살 수 있겠냐는 목소리가 들렸다. 그 길을 갈 것인지 말 것인지 결정해야 할 시기가 도래했을 즈음, 나는 너무나도 쉽게 내 꿈을 접고 말았다. 내 안에 도사리던 '실패'에 대한 두려움이 눈을 뜨자 꿈은 사라졌고 도피를 정당화하려는 초라한 변명만 남은 셈이었다. 노래를 만들 때의 희열이 작곡가라는 꿈을 그리 쉽게 포기할 만큼 미약했던 것일까.

　요즘에 TV 오디션 프로그램에서 유명 작곡가가 심사위원으로 나오면 내 모습과 오버랩되며 잔잔한 미소가 머금어졌다. 가수의 박자와 리듬, feel, 곡 해석력 등 심사하는 모습을 보면 녹음실에 앉아있던 나로 돌아갔다. 지금까지 곡을 쓰고 있다면 14년 차다. 대박을 치진 못했어도 가끔은 라디오에서 나의 노래가 흘러나오고 노래를 검색하며 친구들과 함께 감상하고 있을지도 모르겠다.

　사람들은 노래방에서 노래를 부르고, 휴대폰으로 음원을 산다. 그럴 때마다 저작권료가 입금돼 많게는 일 년에 수억 원을 버는 작곡가도 있다. 게다가 훌륭한 작곡 앱들이 넘쳐 이제 장비 따위의 핑계는 무색하다. 두꺼운 노래방 책자에 담긴 수많은 가수들과 앞으로 나올 신인가수들이 부를 노래를 만들려면 작곡가들 할 일이 태산이다. 작곡해서 먹고 살 수 있을까 했던 20대 때의 나의 걱정은 기우였다.

　노래 한 곡이 히트해 인생 역전한 작곡가를 보면 속이 쓰릴 법도 하다. 그러나 그들도 자세히 살펴보면 수년, 수십 년 동안 좋은 멜로디를 위해, 또 멋진 편곡을 위해 피나는 훈련을 했을 것이다. 그야말로 꿈을 향한 순수한 동경과 집념으로 어렵고 힘든 고통을 이겨낸 용감한 사람들이다.

언젠가 그룹 빅뱅의 노래들을 대부분 작곡했다는 지드래곤이 했던 인터뷰가 생각난다.

'나는 아직 어리지만 음악만 10년을 넘게 했기 때문에 정상에서 내려가는 시간도 그만큼 오래 걸릴 것이다.'

좋은 작품은 한 땀 한 땀 수를 놓는 정성과 숙련된 작업에서 나온 결과물이다. 장인정신의 산물이라 할 수 있다. 저작권의 생명이 작곡가가 죽는 날까지 함께 하고, 유산으로 남아 70년 동안 살아 숨쉰다면 4분짜리 곡이 갖는 매력은 즐거움과 미래 가치로 터져 넘친다.

마음속에는 다들 자기만의 꿈이 있을 것이다. 즐겁고 재밌으며 하고 싶은데 이것저것 재보니 잊고 사는 게 낫겠다는 식은 무엇을 해도 평범한 삶이다. 평범이 나쁘다는 말을 하려는 게 아니다. 그냥 그렇게 사는 것을 희망한다면 그 역시 꿈을 이룬 것이니 됐다. 그러나 대부분이 그렇게 살다 보면 어느 날 문득 과서 꿈을 향했던 열망에 마주하고, 늦어버린 시간과 깊은 한숨에 가슴 뛰는 것조차 허락지 않는 자신을 발견하게 될 것이다. 한 번 사는 인생을 그렇게 아쉽게 살 필요가 있을까 하면서도, 잡은 기회조차 망설였던 나는 지금 이 순간 한없이 고개를 숙인다. 내가 무너진 것은 그 즐거움이 떳떳한 용기를 등에 업지 못했기 때문이다. 이루지 못해 밀려오는 아쉬움과 후회에 맞설 용기도 없었다. 떠올리면 청년다운 패기는 없었고 우물쭈물거리며, 좋기는 한데 실패할까 추락할까 엉거주춤 서 있던 나밖에 없다. 타협을 거쳐 지금은 은행원으로서의 삶을 살고 있지만 가슴에는 아직도 언젠가 돌아갈지 모를 꿈의 태엽만 돌리고 있는 것이다.

꿈과 목표는 얼마든지 재설정할 수 있다. 하지만 때를 놓치면 영원히 잡을 수 없는 것도 많다. 대부분의 사람들은 자신이 뭘 좋아하고 잘하는지 또 하고 싶은 것은 무엇인지조차 모르고 산다. 그것은 사는 게 아니라 살아지는 것이다. 그래서 심장이 두근거리는 꿈이 있는 자는 행복을 누릴 수 있는 축복 받은 사람이다. 적어도 나처럼 주저하다 도망쳐 사무친 후회로 씁쓸한 미소나 짓는 바보가 되지는 않을 테니. 꿈을 외면한 채 적당히 타협하며 살기에 당신은 너무 소중하지 않은가.

굿바이,
아이디어

야외수영장에서 느끼는 태양의 힘은 평소보다 더 강렬하다. 아슬아슬한 비키니를 얹어 놓고 온몸을 굽던 여자들이 강한 빛에, 묶었던 끈마저 풀었다. 그러면 나는 태양이 수컷일 거라 믿으며 화끈한 빛을 좀 더 뿌려달라 빈다.

내가 유독 물가에만 가면 그렇게 응큼한 생각을 하고 여유를 부릴 수 있는 것은 수영과 친숙하기 때문이다.

수영과의 인연은 허약체질 탓이었다. 부모님이 자식 건강하게 살라 시켜주신 유일한 운동이 그것이었고, 어릎이 반가운 것은 그나마 물에서 자신 있게 허우적댈 수 있기 때문이다.

10년을 넘게 했으니 일주일에 3회만 잡아도 샤워만 1천 5

백 번. 씻는 것 자체가 귀찮아지는 때가 왔다. 머리야 샤워꼭지에 갖다 대면 끝이지만 면도는 고민되었다. 밀까 말까. 운동 후에 밀려오는 노골노골함. 한껏 수축했던 근육들이 풀리며 몸도 따라 풀렸다. 면도기를 집어 드는 것마저 버거운 순간. 비누를 바르고, 밀고, 다시 씻고…. 그냥 한 번에 갈 수 없나?

깨알 같은 아이디어가 바로 그때 나왔다. 크림이 나오는 일회용 면도기. 면도날 밑에 면도날 길이만 한 크림통이 롤처럼 달려 있어서 장소에 구애받지 않고 언제 어디서나 "아프지 않게" 제모를 할 수 있다는 생각. 특히 비행기, 열차, 버스 승객들이 나의 면도기를 하나씩 들고 있는 모습을 그리자 나는 이미 슈퍼리치였다.

문제는 시제품이었다. 작동하지 않더라도 구상했던 모양을 갖춘 샘플이 있다면 면도기 회사를 찾아가거나 투자자를 만났을 때 그들에게 설명하고 설득하기가 훨씬 수월할 것 같았다. 지인의 소개로 사출, 금형 전문가를 만나 설계 도면과 개요를 보여주니 대뜸 그가 얼마나 팔릴 것 같냐 물었다. 눈만 멀뚱거리고 서 있자 그가 말했다. 면도기와 관련된 동종업계 동향은 파악해 보았느냐, 얼마에 만들 수 있을 것 같으냐, 만들면 판로는 있느냐, 반품, 재고, 수금, 손익 이야기가 줄줄이 나오는

데 망치로 한 대 맞은 듯했다. 시제품이 중요한 것이 아니었다. 10평 남짓한 작업장의 기름 묻은 옷을 입은 사장님이었지만 그는 CEO였고, 경영을 이야기하고 있었다. 몇 번 더 접촉했지만 돌아오는 답은 같았고 점점 지쳐가던 난 언젠가 내 아이디어를 찾는 사람이 나타날 거라 믿으며 일단 학업으로 돌아갔다.

하지만 그것은 믿음으로 끝날 일이 아니었다. 어느 정도 시간이 흐르자, 아이디어를 실용신안으로 등록해두었다는 이유로 특허청에서 지적재산권 유지비용을 내라는 고지서를 보냈다. 10여만 원 밖에(?) 안 됐지만 선뜻 돈을 내고 싶지는 않았다. 수백만 원을 들여 등록한 거라면 모를까 지도교수 추천을 받은 대학생에게 변리사를 지원하는 정부제도 덕에 수임료까지 무료였던 나는 손해 볼 게 없다고 생각했다. 그러나 그런 자세가 문제였다.

권리가 소멸되기 바로 전, 어떤 중개인이 중국 특허 관련 회사가 나의 아이디어를 긍정적으로 본다며 권리를 넘길 생각이 있는지 물어왔다. 지금은 보이스피싱 등 주의할 게 많지만, 당시만 해도 중국은 값싼 노동력을 보유한 기회의 땅이었다. 중개인의 신원이 확보되자 권리 이양에 동의했다. 썩힐 바에야 차라리 그곳에서 꽃을 피우는 게 낫겠다는 판단에서였다. 얼마 지나지 않아 정말로 그림과 청구항목 등 모든 내용이 중국어로 된 서류가 번역본과 함께 도착했다. 그때까지만 해도 반신반의했던 것을 직접 받아보자 흥분되었다. 중국 사람들이 하나씩만 팔아줘도 수억 개! 나는 다시 갑부가 되었다. 목욕탕에 뒹굴던 100원짜리 면도기가 금장을 두르고 내 엉덩이를 토닥였다. 중국어판 설계도가 날개를 펼치면 세상을 덮을 것 같았다.

며칠을 기다렸을까 중국 쪽 회사와 나를 중개하던 사람에게서 전화가 왔다. 그는 중국어를 유창하게 했지만 안 좋은 소식에 미안함을 가득 담은 한국어도 잘했다. 실망이 가슴을 후려치자 희망을 담았던 깃대가 부러졌다. 며칠 후, 특허청은 권리소멸의 진짜 안녕을 고했고, 취직 후 주머니에 여유가 생겨 아이디어의 부활을 의뢰했지만 한 번 사라진 실용신안등록 번호는 되돌릴 수 없었다.

몇 년 뒤, 유사한 컨셉의 제품이 세계적인 글로벌회사 필립스에서 나왔다. 칼날 밑에 있는 구멍에서 쉐이브 크림이 나오는 전기면도기였다. 일회용만 아닐 뿐 생각의 근원은 내 아이디어가 수년 앞섰다. 기계 설계를 전공한 친구가 도면을 보며

진지하게 물었다. 한 번 붙어보는게 어떻겠냐고. 그는 카드형, 공모양 등 다양한 스타일의 USB로 디자인 소송을 걸어 3억을 받았다. 듣는 순간 아차 싶었다. 이미 내 권한은 소멸해 버린걸…. 10만 원 아끼려다 10억 날린 기분이었다.

KIPRIS라는 특허, 실용신안 검색창에 들어가면 엄청난 아이디어 건수에 놀란다. 세상 사람들은 생각보다 훨씬 똑똑하며 그들이 낸 아이디어는 기발하다. 하루에도 수십, 수백 개의 아이디어가 쏟아지고 있다. 때론 삼성과 애플의 수십억 달러 특허 소송처럼 기업을 흔드는 것도 있다. 돌이켜보면 당장 시제품을 만들 수 있느냐 없느냐는 문제가 아니었다. 근본적으로 세계 시장과 경제 흐름을 읽고, 라이프 스타일을 감지할 수 있는 눈, 통찰력의 문제였다. 좀 더 깊은 혜안이 있었다면 어렵게 만든 발명을 돈 10만 원 때문에 버렸을까? 가치를 읽었다면 어떻게든 유지하려 했을 것이고 더 많은 기회를 잡았을지도 모른다.

그 후로 나는 아둔했던 나의 역사를 반성하며 시원한 통찰력과 직관력을 갖기 위해 가리지 않고 책을 읽게 됐다.

60개 직영점, 2,000명의 직원을 거느린 준오헤어 강윤선 대표는 독서광이면서 전 직원에게 무조건 한 달에 1권 이상 책을 읽히기로 유명하다. 회의 때는 본인이 읽은 책에 대한 의견을 발표해야 한다. 미용사는 단순히 머리만 손질하는 것이 아닌, 고객이라는 사람과 통할 수 있는 지식과 지혜가 있어야 하고 그것은 책에서 나온다는 철학이다. 성공은 바로 고객과의 소통이라는 본질을 꿰뚫은 그녀의 혜안이 과연 그냥 생긴 것일까.

영어강사,
도전!

"넥타이와 청바지는 평등하다"라는 광고인 박웅현 ECD의 카피가 스친다. 이력서를 보내라는데 정장을 입기 싫었다. 그냥 내 바람머리 그대로 가죽 재킷을 걸쳐 폼나게 찍었다. 서류 합격!

처음으로 학원 강단에 서던 날, 나는 나도 몰랐던 또 다른 나를 만났다. 한 번에 그렇게 많은 사람을 가르쳐 본 적은 없었지만 신기하게 떨리지 않았다. 즐거웠다. 학생들의 웃는 모습은 성취였다. 돈 좀 벌자고 던진 도전이 설레임 깃든 좋은 느낌으로 시작되었다.

신입 강사는 채용되기 전 원장님과 타 과목 선생님들 앞에서 시범강의를 한다. 눈빛, 목소리, 빠르기, 설명 노하우 등 어느 정도 실력을 갖췄는지 보고 채용과 급여를 정하기 때문에 결전의 시간이라고 할 수 있다.

칠판에 얼굴을 그렸다. To부정사를 목적어로 받는 대표 단어들을 뽑아, 양쪽 눈 W, W^{want, wish} 코 H^{hope}, 귀에 P, P^{plan, pretend} 넣고 못생긴 나의 얼굴이라며 입을 털었다. 하나둘 피식거렸다. 그 상황을 물 타듯 즐겼다. 탄력이 붙으며 이어진 동명사, '돈갚어'는 회심의 마무리였다. 동명사를 목적어로 취하는 주요 동사^{DEMGAFA—Deny, Enjoy, Mind, Give up, Admit, Finish, Avoid}를 풀어내는 대목에서, 지켜보던 원장님의 사모님에게 다가가 대뜸 돈을 갚으라는 농담을 던졌다. 아이디어 덕인지 들이댄 자세 덕인지 학원은 상당히 괜찮은 조건으로 나를 채용했다. 고맙게도 내 수업을 듣겠다는 원생 수가 많이 늘어 높은 월급을 받는 것이 덜 미안했다.

수강생이 늘어난 이유는 철저히 그들 편에 섰기 때문이었다. 학교를 갔다 온 아이들은 지쳐 있었다. 책을 펴라면 누가 좋아할까. 수업은 언제나 학생들과 이야기를 나누는 것으로 시작했고, 가끔 수업시간 내내 떠들어서 원장님과 몇몇 원생 부모님에게 지적을 받기도 했다. 하지만 그럴수록 아이들은

내 편이 되었다. 편안한 분위기는 곧바로 시작하는 딱딱한 수업보다 훨씬 밀도 있었다. 하나로 집중되어 블랙홀처럼 빨려 들어올 때 수업은 시작됐다.

영어는 수학처럼 단기간에 성적을 올릴 수 없지만 한 계단을 오른 아이들은 좀처럼 전 단계로 떨어지지 않았다. 그것은 교육적으로 매우 큰 보람이었다. 그래서 교육 전공자가 아니었어도 그 이상의 확고한 신념을 얻을 수 있었다. 입소문은 무서웠다. 몸값이 오르고 사람들이 알아주는 맛이 있었다.

대우와 급여가 달라지며 뒤에서 수군거리는 부러움이 들렸다. 거기에 중독되면 앞만 보고 달릴 수 있을 정도였다. 이름이 오르내리자 다른 학원에서 제의가 들어왔다. 미혼 여성 강사들의 움직임도 느껴졌다. 내 강사로 만들려는 원장님과 내 남자로 만들려는 이들이 쏜 눈빛에 온몸이 뚫려 그 구멍 사이로 행복이 주룩주룩 흘렸다.

당황스러울 만큼 파격적인 조건이 제시되자 배신과 의리가 낭자한 조폭 영화가 생각나 흔들렸다.

예상치 못한 로맨스 유혹에 출강이 부담스러웠다. 학생이지만 20살을 코앞에 둔 고3 여학생은 이미 여자였다. 남다른 발육인 경우 6, 7살 쯤은 가볍게 극복할 수 있다는 강한 믿음도 생겼다. 눈길 하나에 야릇한 감정이 살고 죽었다. 내 책상 위에 올라온 여러 음료수 중, 어떤 학생이 놓은 것을 마셨느냐로 아이들의 희비가 갈리는 재미가 있었다.

더 발전하면 안 된다는 막연한 경계선과 그를 지지하는 혹은 반대하는 층들이 대비되며, 가르치고 공부하는 한 공간에 서로 마시고 내뱉는 숨을 공유한다는 묘한 기분은 성인들끼리의 감정과는 다른 순수한 설레임이었다.

그러나 위기는 생각보다 일찍 찾아왔다. 교육에 대한 깊은 철학과 사명감 없이 시작한 나의 교습법에 회의가 들기 시작했다. 변함없는 콘텐츠와 패턴에 같은 말만 반복하는 앵무새. 수업 내용 이상으로 중요한 진행 콘텐츠는 기존 학생들을 붙잡고 원생을 부르는 힘인데 그게 무너지자 정신이 흐트러졌다.

강사는 인강인터넷 강의, 모강모바일 강의에서부터 교재나 문제집 출제까지 훨씬 동적이라 그걸 제대로 연결시키는 사람은 대단한 연봉을 자랑했다. 대기업을 포기하고 더 큰 자신의 비전을 따르는 스타강사가 있는가 하면 EBS 등 방송가를 종횡무진하며 바쁘게 사는 강사들도 많았다. 누군가를 가르친다는 선한 명분과 영어라는 운명 줄에 걸리면 돈은 벌렸다. 교습 외에 강점 중 하나가 교재 개발이며 문제 하나를 만들면 그에 따른 인

세도 받을 수 있었다. 무엇보다 재밌고 효과적인 수업을 하겠다는 태도와 자기 색깔, 좋은 컨텐츠를 갖추면 얼마든지 탄탄한 영역을 구축할 수 있었다.

월급이 많다 적다 차이만 있을 뿐 100세 시대에 살면서 은퇴해 무엇을 하며 살까 생각해보면 1살이라도 더 젊었을 때 강사로 뛰다가 학원 차리는 사람이 60세 전후로 퇴직해 방황하는 직장인보다 훨씬 나을 수도 있다.

당시 함께 일했던 사회탐구 선생님의 소식을 들었다. 이제 42살인데 중형급 학원을 3개나 차렸고 하나 더 준비하고 있다고. 그는 수업을 들으려는 학생이 없어 대타 수업을 하던 사람이었지만 지금은 어엿한 원장님이다. 아직도 열정으로 가득했던 그의 걸걸한 목소리가 생생하다.

메가스터디 손주은 회장은 1,000억 원대 부호로 지금은 학원가의 전설이 되었다. 멋지다.

어느 날, 내가 근무하는 직장 강연시간에 손 회장이 초청 강사로 온 적이 있었다. 그는 유명한 강사 출신답게 여유 있는 시간 안배와 기승전결 있는 이야기로 청중을 사로잡았다.

판서를 해가며 자신의 학원이 성공할 수 있었던 에피소드를 분석하는데 장학금 하면 떠오르는, 평범한 상식을 뒤엎은 템

젊음이라는 도전

플제도 학원생이 직접 설정한 자신의 수능 목표점수를 달성하면 돈으로 보상함를 소개할 때는 신선한 충격이었다. 그 제도를 통해 원생들은 주도적으로 공부하게 되었고 좋은 대학에 많이 합격한 것은 물론이거니와 학원 전체의 성적을 향상시켰다. 학원생 수 급증은 당연한 결과였다.

전문대입시 학원설립과 출판계 진출 등 CEO로서의 그의 행보는 여전히 현재 진행형이다.

시작은 평강사여도 얼마든지 성공할 수 있다. 자신의 뜻대로 조직을 운영할 수 있는 매력도 있다.

잘 맞고, 즐겁고, 보람 있고, 돈도 벌고, 대체 나는 눈을 어디다 뒀던 것일까.

후회막심, 내가 현재 평범한 은행원으로 참 만족하면서 잘 살고 있는 데도 불구하고, 과거 내가 지나쳐 온 가능성을 보란 듯이 성공으로 끌고 간 사람들의 이야기를 듣게 되면 박수를 보내면서도 뒤가 쓸쓸해지는 이유.

글아,
쫄깃해져라

인문학이 대세다. 사실 인문학은 이미 수천 년 전부터 있어 왔지만 전공 학생이 없어 학과를 폐지할 정도로 눈 밖에 난 분야였다. 당장 먹고 살기 바쁘고, 취직을 위해 학점과 자격증을 따지다 보니 사람들은 인문을 생각할 여유가 없다. 회사도 사람을 뽑을 때, 배려하고 경청하는 지혜로운 자세보다 토익점수가 먼저다. 그나마 다행인 것은 더 늦기 전에 많은 사람들이 인문학을 외치며 비로소 가장 밑바닥에 있던 '人인'이라는 문에 노크하기 시작했고 대기업들도 점점 '인문 소양'의 자격을 갖춘 신입사원을 원하고 있다는 것이다.

거기에 공신력 있는 유명 교수와 리더들이 가세하면서 하나

둘씩 무거웠던 인ㅅ의 눈꺼풀을 들어 올렸다. 이것은 궁극적으로 'ㅅ'에 더 가까이 가기 위한 긍정의 신호탄이기에 유행으로 끝나지 않고 계속되기를 간절히 바란다. 그 지속을 위한 훈련 중 하나가 지금처럼 인문학 읽기라면 나는 그와 함께 '하루 한 줄 쓰기', 즉 일일작一日作을 권하고 싶다.

　인문학의 대표격이라 할 수 있는 고전은 어렵다. 내용의 깊이가 남달라 섣불리 도전하지 못한다. 읽어야 할 것 같은 의무감에 덜컥 책부터 사버려 스트레스받고 있다면 일기 쓰듯 하루를 한 줄로 정리하는 시간을 가져보는 것이다.

　이 책은 한 줄 쓰기로 시작됐다. 과즙 짜내듯 하루를 응축할 수 있는 '핵심 중 핵심'을 녹여 문장 1개로 마감했다. 쉬운 듯했지만 다음날 읽어보면 아니었다. 한 줄 안에 제대로 담지 못한 것이다. 그것은 아침에 눈 떠 하루 동안 있었던 일들을 차근차근 되짚어 보지 않고는 쓸 수 없었다. 20XX. ○○. ○○을 추억할 수 있고, 반성하며 배울 수 있다면 한 달 뒤 적힌 30문장은 모조리 시다. 가사로 적어도 될 만큼 농도 짙다. 인문학이 'ㅅ'을 중심에 둔 고찰의 연속이라면 오늘 하루를 살았던 나를 숙고하는 훈련이 어려운 고서 한 페이지를 읽는 것보다 더 의미 있을 수도 있다.

일일작은 수첩이나 핸드폰만 있으면 OK다. 다이어리나 달력 같은 앱을 다운받아 써도 좋다. 글을 길게 쓰지 않아도 되니 부담이 없고, 출퇴근할 때 버스나 지하철 안에서 또는 잠시 들른 화장실 안에서도 얼마든지 쓸 수 있다. 읽고 머릿속에 넣는 것도 좋지만 써서 남길 때 느끼는 보람과 성취는 새롭다.

그것은 직장에서도 한몫한다. 보통 보고를 받는 사람은 나의 기획서를 포함해 수많은 보고서를 읽어야 하는데 A4용지 2, 3장을 볼 시간이 없는 그들에게 군더더기, 중언부언, 복잡함은 감점이다. "단순함이야말로 최고의 정교함이다"라고 했던 아인슈타인의 말처럼 제대로 된 단순함은 내용을 충분히 소화한 사람만이 만들어낼 수 있다. 최적의 단어를 뽑아 조합하는 압축력과 전체를 아우를 수 있는 통찰력으로 간결, 명료한 엑기스를 만들어 상대의 혼을 빼는 것이다.

취업준비생들은 또 어떤가. 이미 만들어진 자기소개서를 조금씩 고쳐서 Ctrl+V 하는 작업은 이제 그만 하고 문단의 가장 상위에 '회심의 한 줄'로 취업문을 날려버리자. 혹시 또 아나. 고뇌하는 수십만 취업준비생의 마음을 대표해 당신이 써 놓은 일일작이 책으로 출간될지.

2012. 5. 23. 일자에 나는 다음과 같은 문장을 기록해 두었다.

"벽이 갈라지고 돼지가 웃자 행장님도 웃었다."

중요한 것은 내가 봤을 때 저 문장이 그 날을 대표할 수 있느냐다.

현재 근무 중인 은행에서 한남대교 초입에 있는 구舊 단국대학교 건물을 매입해 '고객센터'라는 업무용 건물로 리모델링을 했을 때의 이야기다. 어쩌다 우리 업무팀에서 개점식을 준비하게 됐는데 특별히 전통방식으로 진행했으면 좋겠다는 요청이 들어왔다. 준비를 하다보니 고사상을 차리되, 얼마나 임팩트있게 선보일 것인가가 행사의 성공을 가늠하는 기준이 되어버렸다.

우선 공간이 협소해 여러 사람이 고사상을 들고 출현하는 것은 동선이 엉킬 수 있어 위험했다. 그래서 상에 바퀴를 달고 매끈하게 입장하는 것도 생각해 봤지만 소리며 모양까지 너무 밋밋했다. 현장을 수차례 방문하고 고민한 끝에 우리는 병풍 이야기를 하며 '벽'이라는 아이템을 끄집어냈다. 벽을 세워 양쪽으로 갈라지게 하던 그 뒤로 미리 준비된 고사상이 등장한다는 아이디어였다.

건물을 소개하는 동영상이 끝나고 불이 켜지자 사회자가 다

젊음이라는 타깃

음 순서를 소개했다. 오랜만에 목에서 침 넘어가는 소리가 들릴 만큼 긴장된 순간이었다. 스텝이 신호를 보내자 묵직한 배경음악이 깔리며 개벽을 예고했다. 사람들이 두리번거렸고 음악이 최고조에 이르자 벽이 갈라졌다. 고사상이 위용을 드러내며 돼지머리가 환하게 웃자 행장님이 웃으셨다. 임원진 사이에서 탄성과 박수가 터졌다. 게임오버.

이제 "벽이 갈라지고 돼지가 웃자 행장님도 웃었다"라는 문장이 보인다.

머릿속에 떠오르도록 두는 것과 글로 푸는 것의 차이는 정제된 정리다. 정리를 하다 보면 반성할 수 있다. 반성은 솔직하고 솔직은 공감을 부른다. 공감의 문장은 쫄깃한 인절미가 입천장에 붙듯 마음에 들러붙는다.

나도 놀란
자소서

자기소개서는 민감하다. 웬만해선 건들지 않으려 했다. 우선 지금의 나에게 취업문제는 너무 오래전 일이라 무딘 감각이 통할까 의구심이 들었고 무엇보다 월급을 받아먹고 산 지 수년 차에 접어든 직장인이 그들의 절박함에 어필할 수 있을지 확신할 수 없었다. 하지만 나 역시 한때는 수많은 취업준비생 중 한 사람이었고 같은 고민을 했었기에 미약하나마 도움이 되고 싶어 용기를 냈다.

자소서를 잘 쓰는 사람이 있다. 그들의 강점은 매혹적인 문필이 아니라 회사마다 원하는, 공통된 그 '무엇'을 잘 뽑아낸다는 것이다.

채용의 트렌드가 탈스펙으로 달리며 요즘에는 인사담당자

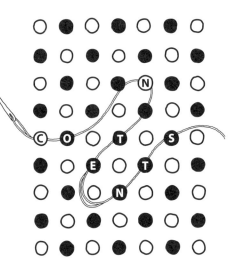

들이 연예인 캐스팅하듯 학교 도서관, 교내 버스 등 현장에서 열심히 살려는 태도 좋은 친구를 섭외하는 방식으로 발전했다지만 어쨌든 자소서는 최후의 보류다. 어떤 상황이 되어도 마지막엔 진심이 담긴 '스토리' 있는 자소서를 택할 수밖에 없다. 택해질 기회라도 주어지길 바라며

「오리진이 되라」의 강신장 대표가 외치는 것도 일맥상통한다. 미래학자 롤프 옌센이 예견한 대로 우리 사회는 드림 소사이어티dream society, 감성중심사회가 도래한 지 꽤 됐고 이제 영혼이 있는 스토리를 가진 자가 시대를 이끌어 갈 테니 자기만original의 이야기를 준비하란 거다. 이를 줄여 성은 '차'요 이름은 '별화'라 불러도 좋다. 정리해보면 취업준비생을 포함해 누구든 자기만의 이야기로 진정성 있는 스토리를 엮을 때 통한다는 말이다. 그런데 당신이 그 '진정성'을 내걸고 써낸 자소서가 통하지 않았다면?

혹시 컨텐츠 부재와 글 엮기에 문제가 남아 있었던 것은 아닐까. 나는 여기서 조금은 다른 제안을 덧붙이고 싶다.

이제 "다양한 경험을 하라"는 조언은 식상할 뿐이다. 검색창을 치면 이색 경험들이 수두룩하지만 그중에서 내 이야기로 차별화해 담아 볼만한 게 있었나 생각해본다.

청춘이라는 티켓

번지점프를 예로 들자.

1단계 : 아래서 봤을 때는 몰랐는데 올라가 보니 이렇더라.

2단계 : 무서웠지만 두려움을 이겨내고 허공에 몸을 던지는 순간, 그 용기로 세상을 산다면 어떤 난관도 이겨낼 수 있다고 생각했다.

3단계 : 용기 + 귀사의 업무에 접목해 이렇게 저렇게 하겠다.

여기서!

생각을 조금 바꿔 어떤 경험을 하고 이야기를 만드는 대신, 희망하고 실천 가능한 이야기를 만든 후 그에 맞춘 경험을 기획하면 어떨까. 다시 말해 인사담당자가 훑었을 때 꼭지만 읽어도 스토리가 연결되는 동영상 한 편을 만드는 거다. 그래서 아래와 같은 스토리를 만들어 보았다. 방법을 설명하기 위한 단순한 예시다.

〈흙집〉

복잡한 도시 생활에 지쳐 서울을 떠났습니다.

어느 시골에 도착해보니 푹신한 흙집이 마음에 들어 제 집도 그렇게 아늑하게 짓고 싶은 욕심이 생겼습니다. 수소문 끝에 흙집짓는 어르신을 만났지만 말조차 걸기 어려울 만큼 무뚝뚝하

셨고 왜 집을 지으려고 하느냐만 물으셨습니다. 그 집에서 살고 싶다며 몇 번이고 찾아가 부탁드렸습니다. 마침내 농사일을 돕는다는 조건으로 제 집은 건축에 들어갑니다.

적당한 물과 흙이 섞여 점성 가득한 벽이 올라갈 때 지쳤던 마음이 치유되었고 집이 완성됐을 땐 세상을 만든 듯한 감동이 밀려왔습니다.

일단 취업준비생과 흙집은 관련이 없어 보인다. 하지만 관련이 없어 보이는 게 오히려 기회다. 읽는 이에게 "뭐지?"하는 일종의 호기심을 유도한다.

은행 입사 후, 한 번은 인사 담당자에게 실제로 수천 명의 자소서를 다 읽는지 물은 적이 있다. "다 읽는다"는 대답이 돌아왔다. 그러나 그가 뒤에 덧붙여 하는 말이 진짜였다.

"그렇지만 글 앞머리에서 희비가 갈리지. 더 읽고 싶지 않은 자소서는 그대로 버려지는 거야."

그러다 보면 '회심의 한 줄^{헤드라인 꼭지}'로 선방을 날리고^{깔끔한 느낌을 준다고 함} 스토리까지 갖춘 자소서가 눈에 들어와 통과될 확률이 높을 수 밖에 없다고 한다. 인사담당자들도 사람이기 때문에 어쩌면 지극히 당연한 일일 것이다. 그러나 아무리 잘 쓴 자소서라도 해당 업체의 인재관과 무관한 내용이라면 소용없

젊음이라는 티켓

다. 돈을 다루는 은행의 경우 '신뢰'라는 이미지가 생명이기 때문에 사람을 뽑을 때 그런 부분을 신중하게 볼 수밖에 없을 것이다.

〈흙집〉에서 풍기는 한국 고유의 따뜻하고 인간적인 이미지는 자소서를 사람냄새 나도록 하는 순기능까지 기대할 수 있게 한다. 포기하려 했지만 마음의 여유를 느끼고 자신감을 얻어 자신을 치유하는 위기관리 능력도 돋보인다. 사람을 몇 번이고 찾아가 설득하는 삼고초려의 정신을 갖췄고 고객에게 줄 감성과 감동의 맛도 안다. 처음도 영업이요 끝도 영업인 요즘 시대에 저런 마인드라면 어느 고용주라도 한번 만나보고 싶지 않을까.

특별한 테크닉이나 미사여구는 없다.

신입사원이 갖춰야 할 가장 기본적인 덕목이 느껴지면 좋을 것이다. 그 느낌에서 가능성도 감지된다.

이제 계획할 경험은 진짜 흙집을 지어보는 것. 스토리에 담긴 내용보다 훨씬 더 생생하고 따뜻한 실화가 가슴속에 박힌다. 덤으로 그 할아버지가 왜 그토록 무뚝뚝하게, 정을 주지 않으려 했는지 사연도 정리해 두면 훗날 합격 후 이야깃거리가 될 수도 있다. 면접을 봤던 임원진들 중 누군가 그 뒷이야기를 물어올 수도 있는 것이다. 사람일은 아무도 모른다. 이색 경험을 마치면 사장이 아니라 회장이 물어도 당당히 대답할 수 있다. 그 자신감이 눈에서 이글거리면 실제로 겪고 느낀 진정성 있는 스토리의 주인공이 된다. 주제와 소재는 무궁무진하다. 저마다 밑그림은 가지고 있으니 바라는 대로 스토리와 경험을 기획하면 된다. 자기소개서에 칸이 모자라는 행복한 고민의 시작이다.

콘텐츠가 해결됐다면 이제는 글을 엮는 일만 남았다.

시골의사로 유명한 박경철 원장. 그는 책을 쓰기 위해 평소 문장력이 좋다고 생각해 두었던 작가의 책을 '필사'하는 것부터 시작했다. 남이 쓴 책을 받아쓰기하듯 한 장 한 장 옮겨 적는다는 것은 결코 쉬운 일이 아니다. 확고한 목표의식과 집념이 없으면 몇 장 쓰다 그만둘 일이다. 그가 뭐가 아쉬워 의사라는 좋은 직업과 유명세를 뒤로하고 남의 글을 옮겨 적었을까? 열정이다. 내가 책 한 권 내고 싶은데 원하는 글이 나오지 않는다면 도달할 수 있도록 자신이 할 수 있는 모든 노력을 기울여야 하는 것이다. 그리고 조정래 자가의 말처럼 자기 노력이 스스로를 감동시킬 수 있을 때가 온다면 그야말로 '최선을 다했다.'고 볼 수 있다. 그런 노력의 결과물은 자기 목표를 앞지르는 것이 될지도 모른다.

책을 내는 것도 아니고 무슨 자소서 하나 쓰는데 필사까지? 비약일 수도 있겠다. 그러나 어떤 형태이든 글을 쓰는 연습은 필요하다는 걸 강조하고 싶다. 그런 과정 없이는 Ctrl+V 늪에서 벗어나기 힘들다. 비단 자소서 뿐만이 아니라 세상 모든 일이 그럴 것이다.

시간은 없고 아직 장문의 글쓰기가 버겁다면 앞서 말했던 일일작ᄇ一作을 다시 권한다. 단언컨대 3개월 아니, 1개월만 해보라. 생각하고 표현하는 힘이 놀랄 만큼 달라질 것이다. 이 작업의 생명은 '꾸준함'이지만, 한 문장 쓰기로 족하다는 점에서 누구나 쉽게 지치지 않고 이어나갈 수 있으리라 생각한다. 자신을 믿고 실천해 가는 여정은 곧 놀라운 자기소개서다.

「프레임」 저자 최인철 교수가 말했다. '태도'가 답이라고. 어디서든 태도와 자세는 평판으로 이어지는 처음과 끝이다. 변하겠다는 내 마음 '자세' 하나면 할 수 있다. 꿈의 완성에 필수인 간절함은 이미 가졌고.

제2장

술의 미학

완샷은
예의가 아니다

술은 이길 수 없을 때 고통이다. 울렁거리는 속은 약도 없다. 자신과 주변 사람이 피곤한 것은 물론, 잘못하면 심한 후유증까지 남는다. 보통 주량이 어떻게 되느냐 질문을 받으면 잠시 생각하게 된다. 몸의 컨디션에 따라 혹은 술자리 멤버나 분위기에 따라 마시는 술의 양이 다르기 때문이다. 이때, 스스로 자신을 조절할 수 있는 정신이 남아있는 시점까지 마신 술이 주량이라면 반드시 잊지 말아야 할 것이 속도가 아닐까 싶다. 꺾어 마시는 것 없이 1병을 몇 분 만에 다 마셨다 해도 버틸 수 없는 완샷^{한 번에 잔 비우기}이라면 아무 의미없다.

술은 잘 배워야 한다. '주도'라는 말이 있을 정도로 술자리는 예의를 지키고 상대를 배려해야 하는 일종의 수련장이다. 잔을 채울 때도 상대가 마실 때 부담스럽지 않게 70% 안팎으로 주고 받으라 배운다. 비울 땐 자신이 소화할 수 있는 정도를 유지하며 마셔야 한다. 그런데 우리나라 술 문화는 어쩐지 자리를 같이 하는 상대에게 빚을 지게 하는 '주도'만 있는 것 같다. 일단 건배를 하면 다 같이 완샷해야 하고 두 번 꺾어 마시거나 남기면 엄청난 눈총을 받는다. 완샷은 어느 순간 남성다움이 되어 지키지 않으면 남자에서 제외될 것 같은 느낌마저 준다. 나도 당신들과 함께 빠른 속도로 취하고 있으니 나의 의리를 알아달라는 제스처일까. 내 앞에 꽉 찬 잔이 하나 둘 쌓이면 사람들이 손가락질한다. 어서 잔을 달라고. 속도를 내야 한다. 원치 않아도 완샷으로 넘긴 술이 또 한 번 목을 흐른다. 그렇게 마시다 걸리면 기억이 잘려나가 어디부터 어디까지 무슨 말과 행동을 했는지 알 수 없는 불안과 후회로 몸과 마음의 고통이 시작된다.

대학교 1학년 여름, 포장마차를 열심히 할 때 초등학교 동창회 소식을 들었다. 새벽까지 장사하느라 바빴지만 미국에서 대학을 다니던 친구가 방학이라 한국에 들어와 모임에 참석한다는 것과 초등학교 시절 내가 좋아했던 여자아이도 올지 모른다는 소식에 마음이 흔들렸다. 참석은 했지만 한쪽 손은 깁스를 하고 여기저기 찢어진 청바지에 모자까지 쓰고 나간 내 행색이 그다지 아름답지 않아 구석에 앉았다. 잠시 후 야구부였던 친구 셋이 도착했다. 너무 반가운 나머지 우리는 모임이 시작되기도 전에 소주를 부었다. 마신 게 아니었다. 500cc보다 조금 작은 잔이었다. 운동을 하던 친구들이라 술 스타일이 달랐다. 같이 마시면 안 되는 사람들이었다. 테이블을 옮기려 했지만 늦었다. 완샷으로 7잔 정도 들어갔을까 갑자기 정전이 되었다.

친구들 목소리가 들렸지만 끊겼다. 깨면 괜찮을 거다. 빨리 택시 불러라. 전부 내 얘기였다. 불이 들어왔다. 친구들이 바닥에 누운 나를 쳐다보고 있었다. 그때 엄청난 미인이 내 이름을 부르며 흔들었다. 근황이 궁금했던 바로 그 여자아이였다. 큰 키와 늘씬한 몸매, 주먹만 한 얼굴에 또렷한 이목구비까지 과연 연예인을 준비한다는 소문대로였다. 난 바닥에 누웠지만 그 아이와 악수를 하고 싶었다. 어떻게 만난 인연인데. 손 한 번 잡아야지. 지금 놓치면 안타까워 어떻게 살라고. 정전.

한 친구가 내 핸드폰으로 누군가와 전화를 했다. 두 명이 나를 부축해 택시를 잡는데 깁스한 손에 주황색 토사물이 묻어 한 대가 그냥 가버렸다. 7월 여름, 뜨거운 대낮. 땀과 술과 구토로 범벅된 난 다시 바닥으로 퍼졌다. 10년 만에 만나 그닥 친하지 않았던 동창을 끌고 신촌 거리를 걸어준 그들에게 술 한 잔 대접해야 하는데 연락이 안된다.

눈을 뜨니 택시가 달렸다. 한 친구가 옆에 앉아 부축했다. 내 입에서 국물이 흘렀다. 나는 손으로 막고 급히 창문을 열었다. 고개를 내밀어야 하는데 몸이 움직이질 않았다. 마지막 힘을 다해 얼굴을 밀어 턱을 창문에 걸었다. 턱 끝이 유리에 닿자 몰렸던 토사물이 터지고 입은 물줄기를 뿜었다. 차가 빠르게 달리니 물줄기가 뒤를 향해 일자로 섰다. 알록달록한 토사물이 하늘거렸고 나는 리본을 문 남자였다. 택시 옆으로 나란히 달리던 버스 승객들이 얼빠진 얼굴로 나를 쳐다보았다. 온몸을 창문에 걸친 턱 끝에 의지하며 눈뜨기조차 힘들 만큼 뜨거운 태양을 견디는 중이라 버스에 탄 그들까지 챙겨볼 여유가 없었다. 손이나 한번 흔들어줄걸. 신호등이 빨간불이 됐을 때 또다시 나란히 선 버스와 택시. 나는 두 눈을 꾸욱 감았다.

입에서 뿜던 걸쭉한 물줄기가 멈추자 구토샷이 OK를 받았다. 택시의 타이어를 포함해 차량 뒤쪽은 당근, 오이, 김치, 마늘, 라면까지 진수성찬이었다. 종종 씹지 않고 넘어간 당근은 각이 살아있었다. 아예 맛이 가버려 아무것도 기억하지 못했으면 좋으련만….

형은 나를 보자 뒤통수를 걷어 올렸고, 택시 기사님은 많은 돈을 받았다. 그래도 화가 안 풀린 그는 욕을 30분은 더했고 완샷이 부린 추함의 끝은 그렇게 막을 내렸다. 빈속으로 며칠을 살았는지 모른다. 헛구역질할 때 위장 안쪽을 밖으로 뒤집어 노란물을 끌어올렸다. 비타500 같은 액체가 침과 엉겨 쓴 맛을 냈고 거기서 풍기는 역한 냄새가 다시 구토를 일으켰다. 바보짓의 연속이었다. 토사물을 일一자로 세운 것이 추함의 끝판이라면, 내 의지와는 상관없이 별로 예쁘지도 따뜻하지도 않은 변기통을 붙잡고 애원한 몸부림은 절정판이다.

술 잘마셔 엄지손가락 세워줘도 남는 건 없다. 의리 따지는 사람은 좀 덜 마셔도 끝까지 남아 이야기를 들어주면 된다. 주도는 정해진 법칙도 규정도 없다. 완샷은 예의가 아니며 욕먹고 손가락질 받아도 꺾어 마시고 남겨 마셔야 한다. 고통에 몸 비틀고, 뒤집어진 속을 회복할 사람은 나니까.

술값은
기분이다

술안주가 비싸다. 부실하게 생긴 집도 안주 두어 개 시키고 소주 몇 병 마시면 몇만 원 우습다. 사람을 만나고 단시간에 빨리 친해질 수 있는 도구가 술이란 점을 생각하면 결코 비싼 게 아니지만, 급여가 정해진 샐러리맨은 부담일 수밖에 없다.

보통은 상사가 돈을 내지만 그것도 한두 번이다. 항상 얻어 먹는 모양은 눈치도 개념도 없어 보여 마음까지 불편하다. 이때 분위기와 맛, 적절한 술값에 맛있는 안주까지 갖춘 집을 아는 사람은 계산 안 해도 한 것 같은 기분 좋은 칭찬을 듣는다. 덕분에 좋은 곳을 알았다는 이야기가 나오면 그는 내게 소소한 빚을 진 거다. 술은 기분이다. 큰 부담이 없고 신선하며 분위기 좋은 곳을 안내할 때 여러 사람을 이끌고 앞장서는 이는 영화「나쁜 놈들의 전성시대」하정우나 최민식이다. 물론 그 자리에 좋은 사람들과 갈 게 분명하니 맘은 더욱 좋다.

이태원은 과거 어두운 이미지를 벗고 전보다 훨씬 정돈된 밝은 번화가로 다시 태어났다. 분위기 좋은 술집이 있다 해서 후배를 따랐다가 그 친구를 더욱 신뢰하게 되었다. 그리 크지 않은 주점이었고 테라스 같은 공간에 테이블이 있어 여름에 술맛 날 집이었다. 하지만 진짜 매력은 따로 있었다. 들어오는 여자 손님들이 몽땅 에이스였다. 강동구 미인, 용산구 미인, 중구 미인. 여기도 저기도 계속 미인 또 미인. 전을 파는 서민집에 어이 그런 분들이. 저렴한 술값에 행복은 무한대였다. 술이 달았다. 누룽지 막걸리는 왜 또 그렇게 맛있는지. 알콜 대신 풋풋한 미인들의 샴푸냄새, 꽃냄새가 입안에서 절절거렸다. 구수한 막걸리는 아름다운 시간을 약속했다. 시간은 멈춰야 했다. 책상 길이만 한 접시에 푸짐하게 얹어 놓은 모둠전을 안주로 배불리 먹었는데도 술값 포함 2만 5천 원. 25만 원짜리 술을 마신 기분이랄까. 다른 친구들을 데려갔더니 반응은 가히 폭발적이었다. 소주 2잔이 치사량이던 한 친구는 막걸리 한 모금 넘기고 여자손님 쳐다보기를 몇 차례, 제일 늦게 일어나 기분 좋게 술값을 계산했다.

　두툼한 삼겹살에 직접 담근 시골 반찬까지 마음이 넉넉해지는 곳도 있다. 특히 젓갈과 된장은 그 집에서만 맛 볼 수 있는 진미. 기막히게 저렴한 가격에 마음이 미안하고, 씹히는 살코기의 두께는 잔돈을 못 받을 지경이다. 구운 마늘을 씹으며 삼겹살 위에 주인이 직접 담았다는 그 젓갈과 된장을 조금 올려 씹으면 아… 소주 한 잔이 절로 넘어가며 같이 따라나선 동료는 감동의 도가니에서 겨우 헤어난 표정으로 굳이 계산하겠다고 한다. 그러지 않아도 되는데.

　서울 신촌에 허름한 횟집이 하나 있다. 그 집 역시 직접 만든 된장을 준다. 가격은 제대로 받아도 안주 가지고 절대 장난치지 않았다. 가게 주인은 손님이 고른 생선을 보는 앞에서 주방으로 들고 간다. 그리고 곧 날라온 회접시에선 좀 전의 횟감이 자신의 살집이 발려진 줄도 모르는 듯, 그 싱싱한 기운을 내뿜으며 먹는 내내 아가미를 들썩거린다. 회 한 점의 두께는 집주인의 양심을 가늠케 한다. 여전히 아가미가 씰룩거리는 우럭 머리와 꼬리를 넣고 끓인 탕에 또 술을 한 잔 넘기면 묵은지처럼 숙성된 오랜 체증이 명치를 지나 밑으로 쑤욱 빠진다.

　술집만 그런 게 아니다. 가끔 색다른 밥집이 그립다. 평일에

는 직장 점심, 주말은 가족들끼리 외식할 수 있는 장소가 된다. 누군가 어디가 좋겠다고 말하지 못할 때, 내가 시간과 날씨, 메뉴, 멤버 등을 고려해 장소를 제안하면 신뢰와 발언권이 생긴다. 설령, 수용이 안 되었다 할지라도 다음 번에 다시 나에게 물을 확률이 높아진다. 조직 내에서 그것은 일종의 경쟁력이다. 좀 더 확장하면 의전儀典에도 활용될 수 있다. 비서 출신들이 성공할 확률이 높은 이유가 바로 그거다. 수행을 위해 준비하다 보면 남들이 신경 쓰지 못하는 부분까지 알게 되어 엄청난 정보를 득하게 된다. 당연히 그를 찾는 횟수는 많아지고 자연스럽게 앞으로 나갈 기회도 많아지는 것이다. 비서가 되라는 말이 아니다. 다양한 정보를 갖도록 노력하자는 이야기다. 그럴려면 당연히 더 많이 듣고 보고, 발품을 팔아야 할 것이다. 그것은 부지런하고 성실하며 시간을 효율적으로 쓰는 사람만이 할 수 있다.

정보를 제공해 상대의 기분을 사버리면 술과 밥이 공짜가 될 수 있으며 계산까지 책임진다면 각인 효과는 더블이 된다. 일종의 퍼스널 브랜딩이 되어 빛을 발하는 날이 온다.

"아, 그건 ○○님에게 물어보면 잘 알 거야."

타의 추종을 불허하는 장소정보 제공자가 있다. 원하는 내용을 치면 "이런 데도 있었어" 감탄의 연속일 만한 곳을 추천한다. 정보를 갈구하는 이들 사이에 입소문이 나면 덕을 본 사람이 늘고 그가 호명되는 순간, 모두가 공감하는 인물이 된다. 의도하지 않았던 아군이 당신도 모르게 늘어나는 것이다. 정상급 정보력은 끊임없는 수집이라는 노력의 산물이다. 실제로 다녀온 사람이 당신 옆에 있다면 TV나 인터넷 맛집을 얼마나 신뢰할 수 있을까.

요즘은 복고가 유행이다. '응답하라 1994'에 나온 서태지와 아이들을 포함해 90년대를 풍미했던 노래를 들려주는 좋은 곳이 있다. 독자들과 한 잔 기울일까.

취중진담,
산을 옮기다

"취중진담"

가수 김동률이 불러 히트친 곡이다.

취중에 하는 말이 진담이라면서 사랑을 고백한다. '취함'의 양면은 편리하다. 술자리에서 흘린 이야기는 상황에 따라 실언도 진담도 된다. 하지만 한두 잔이 마중물로 변해 묻어둘 이야기를 다 끄집어내 버리면 돌이킬 수 없는 결과를 부를 수도 있다.

주변에는 사냥꾼이 많다. 그들의 DNA는 노출된 먹거리를 이슈화한다. 특히 수천 명이 모인 조직 안에는 그런 건수를 노리는 이가 적지 않다. 어떻게 보면 그 낙에 사는 사람들이다.

그래서 취했을 때 더욱 '혀'를 잘 관리해야 한다. 처음부터 그럴 생각이 없었다지만 술은 우리를 가만 놔두지 않는다.

화기애애한 술자리는 서로에게 안부와 근황을 묻고 마음을 털어놓게 만든다. 한 잔 두 잔의 위로가 기분을 적시고 비밀의 문이 열리면 벌어진 틈으로 들어간 알콜이 스며들며 꼭꼭 잠궈둔 억압의 상자를 점령한다. 모서리부터 타고 들어간 술이 벽에 금을 내면 진담은 먼지를 한 움큼 뒤집어쓴 채 얼굴을 드러낸다.

정신을 차렸을 땐 이야기는 이미 세상 밖으로 나와 여기저기 떠돌아다닌다. 진짜 맞는 이야기인지 확인작업에 들어가는 뒷담화들만 작렬한다. 침을 넘기며 쓴 소주를 마셔보지만 그때부터는 술도 안 취한다. 내가 지금 무슨 짓을 저질렀나, 수습의 길을 찾아보지만 머릿속은 하얗다. 본인은 상대를 믿었기 때문에 솔직히 말한 거라 믿겠지만 정작 이야기한 사람의 불안하고 찜찜한 마음은 계속된다.

취중진담이 기폭제가 되어 제보의 내용은 일파만파 퍼지고 그 말이 당신의 입에서 나왔다는 사실만으로도 숨 막힌다. 이미지는 단칼에 추락하고 신뢰는 바닥으로 곤두박질치면 술은 더이상 관용의 대상이 아니다.

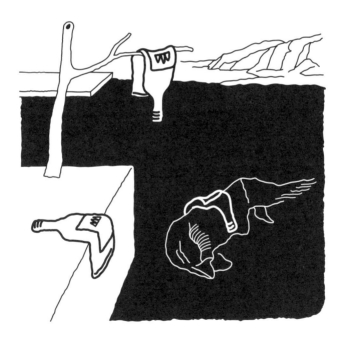

자신 없으면 마시지 말아야 한다. 솔직한 감정을 이야기하는 것과 묻어둘 사실을 이야기하는 것은 다르다. 술을 마셔 흐려진 판단이 공개 가능한 영역을 정확히 인지하지 못한다면 안타까운 일은 계속 벌어질 수밖에 없다.

연애사업도 녹록지 않다. 아름다운 가사처럼 취중진담이 최고라 이것저것 오픈했다간 단박에 차인다. 서로 사랑하는 사이니 과거는 다 이해할 수 있다? 그 거짓말을 믿는 정신이 알콜에 지배당하는 순간, 진담의 물꼬가 터지고 상대는 관계를 정리할지 말지 고민에 빠질 것이다. 과거사를 말해 무엇하랴. 취중진담이 취중진상으로 떨어지는 순간이다. 게다가 자신이 예전에 했던 말과 다른 내용이라도 나오게 되면 때에 따라 사기꾼으로 즉결처분된다.

사실을 말하는 것보다 더한 게 있다. 술 마실 때 씹기 좋은 안주이자 거부하기 힘든 카더라 통신. 진실이면 소문을 낸 장본인이 되고, 진실이 아니면 거짓을 유포한 범죄자가 된다. 한마디로 모든 화살을 맞으며 아자난다. 이는 그 사람의 근간을 흔드는 대지진인 만큼 매우 신중해야 할 일이다. 어떤 모임에서 사람들이 이슈화된 문제를 놓고 마치 당신이 가장 잘 알고 있을 것 같다는 식으로 몰아가도 절대 말려 들어선 안 된다. 화제를 돌리든가 아예 모른다고 잘라야 한다. 괜히 대단한 고급 정보를 가진 것처럼 허세를 부렸다간 우쭐함도 삼시, 잠잠한 최후를 맞을 수 있다.

유혹은 도처에 깔려 있다. 그렇다고 너는 왜 내 앞에 나타나 나를 시험에 들게 하냐며 화낼 필요도 없다. 이제부터 머릿속에 크게 2가지로 여과장치를 만들어보자.

1. 술에 섞이면 더 효과적인 말 취중진담의 순기능
2. 술에 섞여도 절대 해서는 안 될 말

이 장치를 효율적으로 사용하려면 이야기 처음과 끝의 과정 속에 나는 지금 어느 단계인가 생각하면 좋다. 30초만 시간을 내 화살표를 그려보면 이미징에 도움이 된다. 여럿이 모인 자리에서 더욱 당당하고 자신감 있는 대화가 시작되는 것이다.

말을 거르는 작업의 핵심은 말하기 전, 좀 더 생각하며 시간을 버는 것이다. 그만큼 위험한 발언을 줄일 수 있는 확률이 높아진다. 종종 1번과 2번 사이에 걸려 애매한 경우가 있다. 그렇게 아리송할 땐 이야기를 하지 않는 게 상책이다. '그 정도쯤 이야.'라는 자기 위안은 상대가 자신에게 마음을 열고 당신이 다가갔다고 생각하겠지라는 편한 착각을 불러, 되돌릴 수 없는 치명적인 위험에 빠뜨릴 수 있다. 서운해도 어쩔 수 없다. 말 한마디로 모든 걸 망칠 수 있다면 차라리 서운하도록 내버려두자. 언젠가 상대도 이해할 날이 온다.

말의 미학

술타입
보고서

　술타입은 그 사람의 숨겨진 거울이다. 술만 마시면 드러나는 알콜 스타일. 모르면 이해하기 어렵고 알면 술좌석에서 상대에 대한 나의 행동 대비책을 마련할 수 있어 좋다. 좋자고 마련한 자리니 유쾌하고 즐겁게 마셔야지 않을까.

　기분 좋고 가슴 떨리는 판이 여럿 있지만 그중 제일 버라이어티한 것 중 하나가 술판이다. 재밌고 맛있으면 이보다 좋을 수 없다. 멤버들이 훌륭하면 시간은 더욱 빨리 간다. 서운했던 일은 한 잔 담아 넘기면 술술 풀린다. 그래서 '술'이다.

　■ 크라잉 타입

　알콜이 들어가면 습관성으로 우는 사람이 있다. 훌쩍이든 엉

엉거리든 분위기 다운은 물론이고 주변 사람마저 지치게 한다. 밖으로 나가면 누군가 따라 나가고 술자리는 서서히 헝클어지며 나간 이가 다시 돌아올 때쯤에 술자리는 생기를 잃고, 끝내야 할 것 같은 분위기가 된다.

물론 울 수 있다. 상사에게 혼나서. 억울해서. 오해해서. 승진 못해서. 가족이 아파서. 이별해서 등등등. 나는 이런 케이스를 두고 하는 말이 아니다. 술만 마시면 버릇처럼 우는 사람들, 그들은 달래주면 다른 이유를 대며 운다. 그리고 그 이유를 풀어주면 다시 처음 울던 이유로 돌아가 또 운다. 그날만 스페셜 크라이면 이해할 수 있다. 다음 술자리? 또 운다. 다음 날이면 언제 그랬냐는 듯 밝다. 하지만 시간이 갈수록 그 사람에게 술잔이 가면 주위는 한숨부터 나온다.

■ 야성 타입

술이 들어가면 언행이 거칠어진다. 술판은 공포로 바뀌고 침묵은 늘며 화장실과 담배 핑계로 자리를 뜨는 사람들이 하나둘씩 생긴다. 빈자리가 늘어도 사람들은 그 그녀 주변에 앉지 않는다. 맞상대가 없자 사람이 있는 곳을 찾아 자리를 옮긴다. 그러면 즐겁던 다른 자리마저 싸늘히 변한다. 술을 위험하게 배운 사람이다. 지하철 등 공공장소에서 쳐다본다는 이유로 폭력을 휘두를 확률도 높다. 억눌린 심리 상태에서 술을 마시면 참았던 분노가 폭발하기 쉽고 충동조절이 약해져 더 강한 공격성을 보인다. 상대가 고개를 자기에게로 돌리거나 쳐다봤다고 느끼면 자신의 영역이 침범당했다 여겨 돌변한다고 한다.

■ 꼬투리 타입

같이 마셔는 주는데 피곤하다. 상대할수록 진이 빠지고 대화할수록 재미없다. 보통 야성형이 꼬투리도 잘 잡는다. 그럴 뜻은 없었다지만 결론은 상대를 화나게 만들어 싸움의 원인이 된다. 술자리가 있어도 별로 부르고 싶지 않다.

■ 중앙방송 타입

무슨 사연이 그렇게 많고, 할 말은 왜 그리 많은지 대화의 9할이 자기 거다. 평소에는 말이 없다가 술만 들어가면 침묵의 한을 푸는 입술 털기에 들어간다. 다행히 얘기가 재밌고 분위기를 주도한다면 어느 정도 유효하겠지만 역시 술과 대화는 주거니 받거니다. 그렇게 일방이라면 술자리의 참맛을 모르는 이라고 봐야한다. 결국, 들어주던 상대도 맞장구치다 지친다. 한 가지 말투에 질린 사람들은 집중하지 못하고 지방 방송 좀 켜볼라치면 오히려 불쾌해 한다. 여태 들어주던 상대 역시 불쾌하다.

■ 터치 타입

오해, 불륜, 성희롱, 사고 사각지대. 여자고 남자고 술을 마시면 옆 사람을 건드리는 이가 있다. 남자가 여자에게 하면 성희롱이고 여자가 남자에게 하면 오해와 불륜의 불씨다.

특히 어리석은 우리 남자들은 술 한 잔 들어갔겠다 기분 몽롱해지면 평소 목석 같던 여직원도 예쁘게 보일 수 있다. 마침 재밌다 웃긴다며 그녀가 당신의 팔과 어깨를 두들기면 어쩔 수 있나 열려야지. 총각이면 '혹시 나를 좋아하는 건가'라는 생각할 수 있다. 얼마든지 해도 된다. 허락 없이 만지거나 범하지만 않는다면. 유부남도 '혹시 나를 좋아하는 건가' 라는 생각, 할 수 있다. 대신 오해면 성희롱이고 진짜면 불륜이니 일단 값치를 준비는 하는 게 좋다. 당사자들은 아무 감정 없이 했다지만 보통 제보는 함께 마시던 제3자가 하니까.

■ 침묵 타입

평소 그렇게 말 잘하고 재밌던 사람이 술만 마시면 입을 닫는다. 과거 어떤 트라우마가 있었을 수도 있다. 하지만 익숙해지기 전까지 주변으로부터 상당한 오해를 받는다. 집에 안 좋은 일이 있나? 불만 있나? 몸이 안 좋나? 상대의 말을 잘 들어준다면 그나마 다행이지만 너무 심각하고 진지하면 오해를 산다.

■ 자는 타입

술을 마시면 잠드는 버릇은 시끄럽게 구는 주정보단 100배 낫다. 그래서 대체로 무난한 것 같지만 행방이 묘연할 때 기다리는 사람을 힘들게 만든다. 전화를 수십 번 걸어도 받지 않거나, 카카오톡을 날려도 숫자 1이 계속 남아 있을 땐 기다리는 가족, 애인, 동료는 혼란스럽다. 어디서 무슨 일을 당한 건 아닌지 불안에 떨다 급기야 경찰이나 119에 신고를 하기도 한다. 절대 그냥 흘려들을 일이 아니다. 경기가 어려울수록 술에 취해 잠든 사람은 범행 대상 1호다.

얼마 전 일이다. 술을 마시고 귀가하는 길에 버스에서 잠이 들었다. 금방 잠들었지만 중간에 비었던 내 옆자리에 누군가 앉았다는 것을 느낄 수 있을 만큼 멀쩡했다. 그러나 나는 생각보다 훨씬 깊이 잠들었고 버스가 종점에 도착해서야 겨우 일어날 수 있었다. 출발부터 내내 안고 있던 서류 가방이 조금 허전하다 싶은 순간 앞주머니를 보니 핸드폰이 사라졌다. 구입한 지 얼마 안된 고가의 스마트폰. 버스에 올라타 아내에게 이제 출발한다 보낸 메시지가 마지막이었다. 더욱 놀라운 건 목에 걸었던 블루투스까지 없어졌다. 조는 나를 몇 번 툭툭 건드려 봐도 반응이 없자 목에서 슬쩍 빼간 것이다. 잠든 사이 100만 원 돈이 털렸다. 다행히 지갑은 가방 안쪽 깊숙이 지퍼 달린 주머니에 들어 있어 무사했다. 정류장에서 한참을 멍하니 서 있었다. 목숨도 그렇게 털리는구나! 소름이 돋았다.

지인은 술을 마시고 지하철만 타면 잠이 드는데 한참을 가도 두 정거장이라 이상했다고 한다. 2호선을 타고 정확히 한 바퀴를 돌다 깬 것이다. 시간은 벌써 자정인데. 푹 잤으니 이제 진짜 출발. 또 잠들어 결국 택시를 타고 귀가했다고 한다.

겨울은 동사의 위험도 있다. 술 마시고 얼어 죽었다는 이야기가 그냥 나온 게 아니다. 대학교 2학년, 소개팅을 했던 날이다. 지금은 정리가 되었지만 종로의 먹자골목 '피맛골'은 싸고 양 많은 술의 집성촌이었다. 그곳에서 처음 만난 그녀는 얼굴도, 성격도, 몸매도 전부 다 착했다. 술맛은 캔디였고 안주는 그녀를 바라보는 걸로 됐다. 아무리 마셔도 쓰거나 취하지 않았다. 소변을 보면 바로 얼어버릴 것 같은 맹추위에 그렇게 나와 준 것만도 고마운데 짧은 미니스커트에 아름답고 풍성한 볼륨으로 나를 시험에 들게 하다니. 이렇게 고마울 수가. 21살 젊은이는 변기를 뚫어버릴 기세로 흥분하며 볼일을 보고 돌아섰다. 그런데 좀 전에 있었던 술집이 사라졌다. 분명히 골목을 끼고 돌면 바로 출입구였는데 어디로 간 걸까. 거미줄처럼 엮인 술집들 사이로 대충 설치된 공용화장실을 보이는 대로 들어왔을 뿐인데…. 98년도는 핸드폰의 태동기라 삐삐와 씨티맨[발신만 가능한 폰]이 공존하던 구석기시대였다. 공중전화도 수신된 삐삐 메시지도 없었다. 콧물은 얼고 나의 술집은 안 보이고 다급해진 가슴이 점점 멀어지는 그녀를 불렀다. 어떻게 그렇게 못 찾을 수가 있을까. 돌아도 돌아도 보이질 않아 제일 비슷하게 생긴 가게를 들어가니 그녀가 없다. 다른 술집이다. 도로나와 피맛골로 들어가는 처음 골목으로 갔다. 그곳에서 시작하면 내 술집을 찾을 수 있을 것 같았다. 딱딱하게 굳어가는 몸을 끌고 골목 시작점에 서자 그녀가 저쪽에서 택시를 잡았다.

'안 된다. 가면 안 된다.'

나는 덜덜거리는 손끝을 텁텁한 입김으로 녹이며 그녀가 탄택시를 멍하니 쳐다보았다. 안되겠다 싶어 달렸다. 그렇게 뛰다 빙판길에 미끄러져 아이보리색 외투가 시커멓게 젖었다. 지나가는 사람들이 비틀거리는 나를 피했다. 택시를 잡는데 운전기사가 나를 훑었다. 꼬인 혀가 목적지를 말하지 못했다.

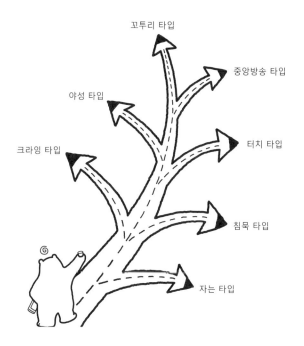

꼬투리 타입

중앙방송 타입

야성 타입

터치 타입

크라잉 타입

침묵 타입

자는 타입

종로에서 용산가기가 그렇게 멀고 험했다니. 춥고, 떨리고, 택시는 태워주지 않고, 후들거리는 다리가 접히며 길가에 주저앉았다. 엉덩이가 차가웠지만 움직이기 싫었다. 정신이 몽롱해지며 이젠 춥지 않았다. 졸린다. 눈이 감긴다. 자고 싶다. 잠이 온다. 잠들자.

 그래…, 그만 자자….

 " 이 봐, 젊은이! 이 봐! "

취했다고
인정하면 OK

술을 테스트용이나 제압의 도구로 이용하는 지혜롭지 못한 사람이 있다. 불행히도 어느 집단이든 술 좀 먹는다는 사람 중에는 그런 이가 꼭 있다. 원래 스타일인 경우가 있고 분위기 메이커로서 그런 경우가 있는데 어쨌든 둘 다 술을 무기로 한다는 점에선 같다. 그들의 주 타깃은 새로운 멤버나 잘 마신다고 소문난 부하 직원일 확률이 높기 때문에 사정권에 들어왔다 싶을 땐 대처가 필요하다.

팀 회식을 했다. 발령 받은 지 얼마 안되어 가진 술자리였다. 동동주와 전을 파는 주막이었는데 컨디션이 좋지 않았지만 무너질 정도는 아니었다. 신발을 벗고 들어가는 곳이었는

데 앉자마자 지하로 푹 꺼지는 기분이 들었다. 좀 이상하다 했는데 첫 잔이 들어가자 불빛이 흔들렸다. 속이 쏴 하며 뒷골에 신호가 왔다. 두 잔이 들어가자 더이상 내 몸이 아니었다. 적당히 조절해 넘어가야겠다 싶은 순간, 아주 센 고급술이 등장했다. 직원 중 한 명이 가져온 양주였다. 술병에 적힌 숫자가 흔히 볼 수 있는 나이가 아니었다. 도저히 거부할 수 없는 욕심 나는 향기에 '주막에서 양주라니… 묘한 조화네' 생각이 끝나기도 전에 한 잔이 들어왔다. 혀끝을 타고 들어오는 뜨거운 물줄기가 입천장의 얇은 피막을 뚫고 목구멍에 스며드는 순간, 주변 근육들이 쪼그라들며 높은 알콜 도수에 짧고 굵은 외마디로 경의를 표했다.

  "캬아~."

  시야가 흔들리자 앉아있기 힘들었다. 평소와 너무 다른 몸상태가 낯설어 고개를 갸웃거리자 앞에 앉은 분이 물었다.

  "벌써 취한 거야?"

  취했다고 인정했어야 했다. 20살부터 술을 마셔왔지만 그렇게 손 한 번 못써보고 고꾸라진 건 16년 전 토사물 사건 이후 처음이었다. 술 좀 마신다고 해놓고 안 취했다며 계속 주고 받았다. 길을 걸었고 큰 실수 없이 잘 돌아갔다고 들었다.

취했다고 쿨하게 인정하지 못한 고통은 다음 날 새벽부터 시작됐다. 격한 술앓이로 운전이 불가능해 전철을 탔다. 한 정거장을 못 가 구역질을 해댔다. 입을 막고 참고 있다가 문이 열리면 플랫폼과 전철 사이의 틈에다 토했다. 사람들이 쳐다보는 게 문제가 아니었다. 회사에 출근할 수 있을지 그게 걱정이었다. 도착했어도 정상적인 업무는 무리였다. 토하는 소리가 너무 커 회사에 소문이라도 날까 옆 건물로 이동했다. 남의 건물 화장실에 들어가 미안했지만 달리 방법이 없었다. 그곳은 무척 아늑했다. 바닥에 주저앉아도 좁지 않았고 등이 벽에 딱 붙어 내 몸을 맡기니 속이 진정되는 기분이었다. 두 발을 쭉 뻗어도 옆 칸에 방해되지 않았다. 바닥은 차가웠지만 희고 탐스러운 변기는 따뜻해 보였다. 스피커에서 클래식 음악이 흘러 마음이 평온할 때 변기가 내 가슴에 들어왔다. 그렇게 우린 오랫동안 서로를 부둥켜안고 사랑을 나누었다. 나는 흔들려도 변기는 흔들리지 않았다. 밖에서 웅성거리는 소리가 들렸지만 어차피 누군지 모르니 상관없었다. 잠이 든 난 점심이 다 되어서야 겨우 일어날 수 있었다.

취했다고 인정했다면 이보다 더 나빴을까. 정도의 차이는 있었겠지만 최악의 상황을 만날 확률은 크게 줄었을 것이다. 결국, 술도 못 마시면서 허세 부리고 대책 없이 덤빈 찌질이가 되었다.

인정하는 모습이 왠지 약하고 보잘것없이 보일까 꺼려질 수 있다. 하지만 술을 마시고 비틀거리거나 정신을 잃어 엉망이 되는 건 더욱 좋지 않다. 일을 해야 하는 사회인이라면 이미지도 생각해야 하지 않겠는가.

나는 '인정하는 자세'로 상대의 전의를 상실시켜 버리라 말하고 싶다. 누군가 계속 술을 주면서 취했냐고 묻는다면 "네. 취했습니다." 라고 답하는 것이다. 대신 진심이어야 한다. 순간을 모면하기 위해 면피용 둘러대기는 곤란하다. 묻기 전에 먼저 말해도 상관없다. 하지만 나를 비롯한 남자들은 취했다는 말을 잘 하려 들지 않는다. 그것은 자존심을 버린다거나 항복하는 개념의 문제가 아니다. 간혹 벌써 취했냐고 나무라는 사람도 있겠지만 어쨌든 자신을 잘 안다는 증거이며 절제하겠다는 의지다. 혀가 꼬이고, 젓가락을 떨어뜨리며, 물컵을 놓치고, 곧게 걷지 못한다면 누가 봐도 취한 거다. 아니라고 우기면 자기 최면으로 몇 분간은 정신을 유지하겠지만 얼마 못 가 점령당하고 만다. 차라리 더는 술이 들어오지 않도록 공개 항복을 하는 편이 낫다.

취하지 않았더라도 컨디션이 좋지 않거나 조절이 필요한 경우 사전에 대비할 수 있는 나름의 기준이 있다면 좀 더 안정된 술자리가 될 수 있다. 나 같은 경우는 불빛, 조명이 안내자다. 형광등도 상관없다. 평소보다 번짐이 심하면 상당히 위험하다는 신호다. 그때는 주위에 알리고 나의 술잔을 지켜달라 부탁한다.

부서 전체 회식자리가 있었다. 입행한 지 얼마 안된 직원이 받는 술마다 완샷으로 정리하길래 말렸다. 그런데 되려 한 잔 달라며 내게 술잔을 내민다. 취한 것 같으니 조금만 주겠노라 반잔을 따르자 자기는 절대 안 취했다며 발끈했다. 잔을 들이밀며 꽉 채워달라기에 한 번 더 자제를 시켰다. 자기는 아직까지 술을 마시고 실수한 적이 없다며 완강하게 잔을 드민다. 이미 눈동자와 혀는 맛이 갔고 누구의 이야기도 귀에 들어오지 않는 단계였다. 술에 취한 얼굴이라 해석이 불가능했다. 눈을 보니 풀리긴 풀렸는데 상대가 맘에 안 들 때 짓는 눈빛이기도 했다. 헷갈렸다. 불현듯 술김에 나를 한 대 칠 것 같은 느낌이 들었다. 사람들이 많고 술 한 잔에 목소리 높이기 싫어 그냥 가득 따라줬다. 입에 훅 털어 넣은 그의 동작이 슬로우 모션으로 이어지며 기둥을 잡는데 걸어가는 게 위태위태했다. 잠시 후 화장실 앞에서 웅성거리는 소리가 들렸다. 방금 전 그가 피자 한 판을 따끈하게 만들어놓고 퍼졌다.

취해서 더 마시면 실수할 것 같다고 정중히 거절하면 강권하던 사람도 그만둘 것이다. 그래도 권한다면 그건 그 사람이 이상한 거다. 주변에서 도와줄 것이며 무엇보다 자신을 자제할 줄 아는 사람으로 비쳐 신뢰도 상승한다. 강할수록 숙일 줄 아는 유연함의 센스. 그런데 술자리가 시험대가 되는 것 같아 좀 슬프다.

어느
친구

절친이 불렀다. 올해로 20년지기다. 학교나 사는 곳을 봤을 땐 만날 수 없을 인연이었지만 베스트가 되었다. 그는 요즘 '마에스터고'라 불리는, 당시로 말하면 공업고등학교를 졸업해 일찌감치 사업을 시작했다. 지금은 직원 20명을 둔 중소기업 사장님이다.

회사 건물은 허름했지만 몇억씩 하는 레이저 기계를 갖다 놓고 수백 개의 USB에 무언가를 열심히 새겨 넣었다. "기계 안에 한 번 넣었다 빼기만 하면 돈"이라는 말을 들으니 나도 몇천 개는 할 수 있을 셋 같았다. 남자는 뭐니 뭐니해도 머니 MONEY랬다고 내 월급의 몇 배에 해당하는 돈을 자기 통장에 꽂아 넣는 친구의 당당함과 자신감이 멋졌다.

그랬던 친구가 요즘 최대 위기를 맞았다. 결혼해 아들까지 낳고 한결 여유롭던 녀석이 경직된 얼굴을 보였다. 남들이 봤을 때 띨띨해 보여야 상대가 경계를 푼다나. 자기 나름의 사업 철학을 말하며 바보 웃음을 짓던 그가 소주를 심각하게 들이켰다. 한 번 도약해보겠다며 과감하게 사업 하나를 더 벌였지만, 그 때문에 큰 손해를 보고 있는 모양이다. 기존 회사에서 버는 돈을 새로 차린 회사에 고스란히 쏟아붓고 있었다.

"장인어른은 모르시나?"

친구는 이미 도움을 받은 적이 있어 미안하기도 하고 자존심 때문에 더는 못하겠다고 말했다. 그의 장인은 자수성가한 사업가로 무림의 고수였다. 친구의 푸념에 그래도 비빌 언덕이 있어 행복한 줄 알라 했더니 곧 죽어도 인정 않는 고집에 대화는 끊겼다. 급기야 친구라서 하는 소린데까지 나오자 분위기는 험악해졌다. 잘 웃던 녀석이 예민해지고 까칠해져 안타까웠다.

사람 문제였다. 자신이 많은 돈을 투자해 데려온 사람이 결정적일 때 역할을 해주지 않아 일이 꼬인 것이었다. 친구 녀석은 속았다지만 내가 볼 땐 나이가 많은 그 직원의 마음을 얻지 못한 잘못이 컸다. 친구는 상대의 이야기를 들으려 하지 않았다.

둘은 몇 분간 말없이 술만 넘겼다. 그러다 요즘 정말 죽겠다는 소리로 입을 열었다. 나는 빈 잔에 술을 따라주며 말했다.

"넌 한 번 죽었던 놈이잖아. 넘 아냐?"

22살 겨울, 그가 병장을 달고 마지막 휴가를 나왔다. 뺨이 아릴 만큼 추웠지만 건대 입구는 화려했다. 길에 선 두 남자는 활어처럼 팔딱거렸고 불타는 마그마였다. 같이 들어간 술집이 깊은 지하라 춥지 않고 좋았다. 둘은 뭐가 그렇게 좋았는지 미친 듯이 마셨다. 친구는 화장실을 간다며 먼저 지상으로 올라갔고 내가 계산을 하려는데 갑자기 크고 시커먼 박스가 계단을 굴러 내려왔다. 친구였다. 목이 완전히 꺾여있고 눈에 흰자만 보인다. 죽은 걸까? 어디선가 피가 쏟아졌다. 뒤통수였다. 내가 그의 뒷목을 잡고 천천히 일으키자, 머리 한쪽이 계단모양으로 패여 피를 뿜고 있는 게 보였다. 내 몸에 남았던 알콜이 순식간에 증발하며 정신이 번쩍 들었다. 나는 친구 이름을 목터져라 외쳤다. 답이 없었다. 눈물이 쏟아졌다. 뺨을 사정없이 후려치자 움직였다. 아직 살아있었다. 아….

병원까지 업고 뛴 5분. 천리가 따로 없었다. 추위로 친구 몸

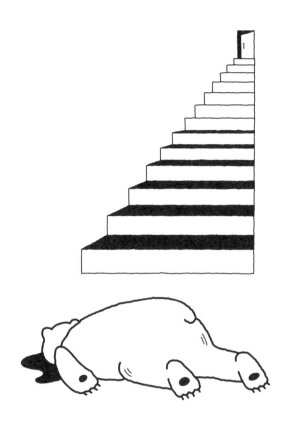

이 얼어갈 때 신고를 받은 구급차가 나타났다. 눈물과 콧물로 범벅이 된 얼굴 위로 땀이 흘렀다. 그렇게 가버리면 어떡하지. 그의 부모님은. 그의 애인은… 응급실에 도착하자 나는 다시 친구를 불렀다. 웅얼거렸지만 답은 정확했다. 계속 질문했다. 먹었던 음식이 입을 통해 쏟아졌다. 양쪽 귀에서 피가 흘렀다. 응급처치를 하던 의사의 얼굴이 조금 편안해졌다. 생명에 지장은 없을 것 같다 했다. 그는 살았고 나도 살았다. 지옥 같던 10분. 내 피가 전부 말랐다.

15년 전 일이지만 술집과 계단, 친구가 흘린 피, 추위와 공포 그리고 살아서 감사했던 모든 게 선명하다. 중요한 건 그 친구가 지금 나와 술잔을 기울이고 있다는 사실이었다. 한바탕 스토리를 읊고 나니 친구도 신기하다며 또 한 잔 기울였다. 마음이 풀렸는지 힘을 내야겠단 기특한 말을 했다.

"나와줘서 고맙다, 친구야"
"언제든 전화해라"

혹 전화 한 통화면 언제든 나와 술 한 잔 마셔줄 친구가 있는가? 능력자.

시크릿
가든

솔로 음주혼자서 술마시기는 꼭 한 번 해봐야 한다. 남이 이상하게 볼 것도 없고, 먹다가 어떻게 될 일도 없으며전화해서 누굴 불러내니 문제다 생각보다 재밌고 상당히 의미있는 시간이다.

"혼자 마셔보라 했으니, 그래 오늘 큰 맘 먹고 한 번 가자"

그래놓고 S류 BAR에 간다. 인간적으로 그러면 안 된다.

이 정도면 괜찮겠다 싶은 곳을 혼자 들어가면 종업원의 대우가 다를까 봐 신경 쓰일 수 있다. 몇 명이냐고 묻기 전까진 아직 당신이 혼자 온 걸 모른다. 설령 "1명이요"라고 했을 때 종업원의 행동이 걱정된다면 둘이라고 얘기하고 혼자 마시면 된다. 남들 눈이 의식될 땐 핸드폰을 꺼내 문자를 보내고 전화하는 척 모션만 몇 번 취하면 된다. 5분만 지나면 모든 게 안정되고 아무도 신경 쓰지 않는다는 사실을 깨닫게 된다. 단, 손님이 바글거리는 곳에 가면 눈치를 주거나 자리를 주지 않을 수도 있으니 술집 선정 시 감안해야 한다.

주변 정리가 되었다면 생각모드로 전환한다. 나를 챙겨주는 사람이 없기 때문에 술을 다스릴 수 있도록 조금씩 아주 천천히 마신다. 철칙이다. 주변에 술 마시는 사람들을 둘러보며 이야기를 듣는다. 값진 공부다. 이야기 소재도 그렇지만 그들의 취중 말투나 대화를 주고받는 태도가 술을 마실 때 내 모습은 어떤지를 떠올리게 한다. 지금은 혼자라서 맑은 정신이다. 그리 좋아 보이지 않는 장면과 분위기가 객관적인 눈으로 들어온다. 그러면 나는 다음 번, 상대가 있는 술자리에서 더욱 조심하고 정신을 가다듬으려 노력하게 된다. ※주의 : 한 곳을 장시간 쳐다보면 싸움날 수 있음. 굳이 잘해야지 다짐하지 않아도 뇌가 기억해둔 장면을 끄집어내 몸이 반응하도록 명령할 것이다. 여행을 많이 다녀서 넓어진 견문만큼 생각하는 범위가 커져 체득된 몸이 그에 맞게 행동하고 사고하려는 것과 같은 이치다. 간혹 혼자 마시며 '합석의 행운'을 기대하는 사람이 있는데 의도가 불순하면 불행일 수 있으니 주의!

　솔로음주는 대화 상대가 없기 때문에 혼자라고 생각하지만
사실 그렇지 않다. 내가 나에게 다가가 끝없이 묻고 답한다.

　답이 없어 덮어둔 일을 떠올려본다.

　마음을 아프게 했던 나의 말, 그들의 말은 뭐였지
　떠난 그(녀)는 잘 있을까 추억과 흘러나오는 노래로 연속 두 잔도 가능
　지금 나의 위치는
　하고 있는 전공이 나한테 맞는 걸까
　다른 공부를 해볼까
　대학원을 갈까
　취업은 할 수 있을까
　창업은 어떨까
　다들 자기계발 한다는데 나는 뭘 해야 하지
　부모님 건강은, 애들은, 아내는
　그동안 너무 무심했던 건 아닐까
　난 뭘 좋아하지
　좋아하는 게 있나

이대로 가면 괜찮을까

불안한데 그게 뭐지

돈? 일? 가족? 꿈?

내가 진짜 원하는 게 뭐지

로또는 샀나

왜 맨날 꽝일까

숫자를 좀 다르게 찍어볼까?

그냥 자동으로 가?

집주인은 왜 그 모양이야

집들 참 많던데 내 집은 왜 없지

동호회는 잘 꾸려갈 수 있을까

골프 타수는 왜 안 줄지

카드값은 왜 이렇게 많이 나와

그 친구 넥타이가 30만 원이라던데…, 나도 질러볼까

형제들 가게는 잘 되나

차 팔까. 그냥 타?

승진은 누가 하지

옆자리에는 누가 올까

앞으로 어떻게 살지

….

물을 것도 답할 것도 끝이 없다.

아무리 그래도 술집에 혼자 들어가 마시는 건 도저히 안되겠다는 사람은 이렇게 할 수도 있다. 미국의 정신건강 전문가 에스더 M. 스턴버그는 「공간이 마음을 살린다」에서 아름다운 풍경을 보는 것은 뇌에 많은 양의 몰핀을 투여해주는 것과 같다고 했다. 그만큼 자연경치에 대한 중요성과 효과를 강조한 것인데 그에 걸맞는 훌륭한 장소가 대도시, 서울에도 있다.

개인적으로는 직장에서 가까운, 청계천 길을 꼽을 수 있다.
지하철과 닿아 있는 것은 물론 산과 물과 빌딩이 기가 막히게 조화를 이룬 곳. 청와대가 보이니 지리적인 에너지와 기운은 두말하면 잔소리요, 좌우 걸을 방향만 정하면 되니 간편하기 짝이 없다. 시원한 물소리도 좋지만 그곳에 섞인 많은 사람들의 이야기와 모습을 보며 이런저런 생각을 하다보면 아이디어가 마구 솟아서 좋고, 그러지 않는다고 해도 좋다. 그런 나를 누구도 신경 쓰지 않으며, 청승 떤다 놀릴 사람도 없다.
저렴하게, 프리하게, 시서하게, 기분 좋게. 이어폰에 잔잔한 음악까지 더하면 청승의 오리진. 시간? 30분이면 족하다. 가정이 있고 학원도 가야 하고 운동에 모임에 참석하고 해야할

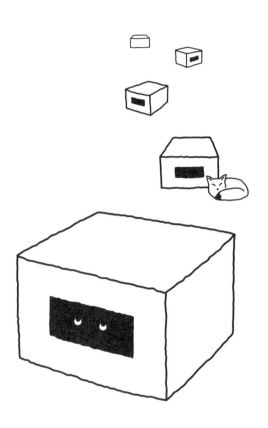

일이 산더미지만 365일 중 오로지 나만을 위한 30분 정도의 특혜는 좀 주면서 살고 싶다. 사실 그것도 너무 박하다. 그렇게 걷기만 하면 뭔가 아쉬운 게 있으니, 술이다. 도수가 과한 술은 걷다가 물에 빠질 수 있으니 적당한 것을 잡으면 된다.

나는 다음과 같이 한다.

종로, 무교동, 광화문으로 난 길에는 편의점이 블럭마다 하나씩 있다. 그 편의점을 지날 때마다 새로운 맥주가 기다린다. 술집보다 싸며 골라 먹는 재미가 있다. 치익, 뚜껑 열리는 소리에 방전된 두뇌가 충전되면 후련한 기분이 가슴을 적시고 솔로음주의 별미가 시작된다. 꼭 술이 아니어도 좋다. 내 몸과 마음을 고무시키는 음료라면 그냥 물도 좋다.

경청이 미덕이라고 남의 이야기를 들어주느라 두 귀가 고생 많다. 맞장구 쳐주느라 입이 닳고, 따라다니며 눈 맞춰 주느라 두 눈이 충혈됐다. 수백수천 마디를 주고받으며 일당 채우느라 오늘 하루 부단히 애썼지만 그만한 고생은 다들 하는 거라 딱히 특별할 것도 없다. 하지만 화나고, 당황하고, 욕먹는 순간순간에 경직됐던 근육과 신경조직의 깊숙한 피곤함을 그냥 아무 것도 아닌 걸로 치부하고 싶지는 않다. 나는 그런 자신에 대

혼의 미학

해 누구보다 잘 알고 있기에 스스로 위로하고 어루만져줄 시간이 필요하다. 그래서 가족과 친구와 애인에게 받을 위로는 남겨두고 내 힘으로 나를 위할 수 있는 만큼만 가벼운 마음으로 사색한다.

제3장

내게 가장 슬픈 말,
"먹고 살아야지"

기분전환
1g

여자들이 부럽다. 그들은 아프거나 속상할 때 눈물이라는 치료제를 마음껏 쓸 수 있다. 처방이 자유롭고 돈이 안 들며 무한 리필에 약발이 떨어지면 언제든 끊을 수 있다. 남자들은 참는다. 한국에서 남자는 울면 큰일 날 것 같은 문화 때문에 너무 참아 썩는다. 남자는 태어나 세 번 운다? 사내 같은 멘트지만 요즘 세상에 병 키우기 딱 좋은 말이다. 남자로 태어난 게 무슨 죄라고 100세를 살면서 마음껏 울지 못하는 가혹한 세상에 살아야 하는가.

사회생활을 하다 보면 억울하고 서러울 때가 참 많다. 억장이 무너져도 사람들의 시선이, 또 나를 향한 자존심이 두려워 아파 갈라지고 터져 짓물러도 남자들은 참아야 한다. 우는 건

내게 가장 슬픈 말 "먹고 싶어서"

상상조차 할 수 없다. 울면 지는 거다. 속상하고 답답해 좀 울겠다는데 뭘 이기고 진다는 건지. 쓸데없는 틀에 갇혀 마음의 병을 키우고 면역 상실에 병세포까지 허락하면 그게 진짜 패배다. 미국 미네소타 주 알츠하이머 치료연구센터에서는 오죽하면 남성이 여성보다 빨리 죽는 이유가 울지 않기 때문이라고 했을까. 감정이 들어간 눈물은 각막에 영양을 공급하고 단순히 항균작용을 하는 생리학적 차원을 넘어 카테콜라민이라는 호르몬을 배출한다고 한다. 스트레스를 받으면 쌓이는 병을 만드는 호르몬인데 그게 눈물에 섞여 있어 한 마디로 건강하게 오래 살려면 기쁘고 슬플 때 좀 울어줘야 한다는 이야기다. – 슬플 때 울지 않으면 다른 장기가 대신 운다. 핸리 모슬리/영국 정신과 의사

어버이날, 나는 아주 간만에 펑펑 울었다. 부모님이 생일선물에 편지를 넣어두셨다. 엄마는 종종 쓰셔서 그러려니 했지만 정말 의외였던 것은 아버지였다. 내가 기억하는 한 처음 받은 편지였다. 차갑고 무뚝뚝한 노인이 이젠 글조차 잊어버린 것 같은 필체로 한 장을 가득 채우셨다. 행간을 꾹꾹 눌러 읽다 격해진 가슴에 처음으로 돌아가 몇 번을 다시 읽었다. 아버지가 편지를 쓰시다니. 거칠었던 그의 삶 전체를 통틀어 내가 애틋하게 느낀 몇 안되는 사건이다. 코끝이 아렸다. 곧 이어진

아버지의 40년 동반자, 엄마의 편지. 나이 60이 넘어 예쁜 글씨를 써 보는 게 소원이라시며 시작한 펜글씨 덕일까. 글자 하나하나 획 끝이 꺾이며 정자체로서의 예의를 다했고 적당하게 띄어 놓은 자간은 길었던 수십 년의 여정을 이젠 좀 쉬어가자는 쉼표 같았다.

다음 날 출근하자마자 A4 종이 위에 엄마를 썼다.

엄마….

갑자기 목에서 솟구쳐 오르는 뜨거움. 코피 쏟듯 투두둑 떨어지는 눈물이 플러스펜 끝에 닿자 '엄마'라는 글자가 번지며 반세기를 견뎌온 한 여자의 삶도 번졌다. 참을수록 목이 아프고 이상한 소리까지 들렸다. 옆에 앉은 직원들이 모르게 울자니 몸이 들썩거려 쉽지 않았다. 정신없이 울고 나서도 진정이 안되어 한 장을 쓰기까지 여러 번 구겼다. 순간 명치끝에 걸렸던 돌멩이 같던 덩어리가 펑하며 사라졌다. 뭐가 됐건 울고 나니 개운했다.

곳곳에 숨겨진 가슴 타는 일은 그렇게 한 번 몰아서 울고 토해 내야 한다. 가벼워진 마음으로 펜을 잡으니 어둡고 우울할 것만 같던 편지가 긍정과 희망으로 넘쳤다. 무엇보다 흔들리지 않는 단호함과 담담함이 느껴지며 나의 기운을 흡수해 훌쩍 성장한 기분이었다. 입가의 미소는 갱생이자 환희였다. 더 잘 할 수 있을 것 같았다. 그 생각 그대로 아버지께 답장을 썼다. 3일 뒤 엄마가 전화를 하셨다. 몇 초간 말을 잇지 못한 엄마는 감사하고 사랑한다는 얘기뿐이셨다. 몇 번을 들어도 반가운 목소리.

부서에서 단체로 영화를 관람했다. 설경구가 주연한 '타워'라는 영화였다. 초고층 건물의 화재 재난 이야기인데 마지막에 설경구가 폭탄과 함께 터지기 몇 분 전 독백하는 장면이 나온다. 무뚝뚝한 남편을 믿고 꿋꿋하게 살아준 부인에게 고맙다며 오열한다. 여기저기서 훌쩍거렸다. 나 역시 스멀거리며 올라오는 감정을 누르느라 죽겠는데 회사 사람들이 진을 치고 있으니 만감이 교차했다.

울면 안 돼! 울면 안 돼!

벼랑 끝에 매달린 나를 지탱해주던 끈이 풀려갈 즈음, 그의 부인이 귀가가 늦는 남편을 기다리며 시계를 보는 장면은 결국 내 눈물을 털었다. 아내의 얼굴이 겹치자 콧물까지 털렸다. 참고 참았지만 북받치는 감정에 나를 맡기니 오히려 울지 않는게 이상했다. 그냥 울면 되는데 내 감정을 못살게 괴롭히고 있었다. 휴지로 코를 감싼 채 눈을 감고 바르르 떨자 옆에 앉았던 여직원이 돌아보며 놀랐다. 오과장이 울었다. 그래 울었다.

울 줄 안다. 찌질해 보여도 어쩔 수 없었다. 알게 뭐랴 난 너무 시원한걸.

죽음 앞에서 흘리는 눈물은 더욱 진하다. 어느 누구도 이상하게 생각하지 않는다. 문익환 목사의 빈소 앞에서 대성통곡한 고(故)김대중 전 대통령이나 전사한 군인을 맞으며 눈물 흘렸던 오바마 대통령. 그들도 우는데 우리가 뭐라고 눈치보며 감정을 외면하나.

물론 아무 때나 우는 건 좀 아니다. 혼났다고, 억울하다고 수시로 울어대면 그냥 울보다. 지혜롭고 슬기롭게 울 때, 건조하게 갈라진 마음을 말랑하게 할 봄비가 된다.

거울 앞에 앉아 마음에 담아뒀던 말, 툭 뱉고 애썼다 내 가슴 토닥일 때, 기분 전환할 수 있는 1g짜리 선물이 흐른다. 눈물이어라.

113

엉뚱한
밸런스

바지가 터졌다. 푸득하며 시원하다 했더니 바지가 갈라져 바람이 드나들었다. 살이 찐다는 게 남 얘기인 줄 알았다. 좀 낀다 싶었지 그렇게 순식간에 극적인 상황으로 치닫게 될 줄이야.

첫 번째 변화가 숨쉬기였다. 숨이 들고 나는 사이 상체가 마치 배를 탄 듯 너울거렸다. 허리띠를 풀고 좀 편하게 숨을 쉬어볼까 해도 익숙해지면 버릇 될까 그냥 뒀다. 두 번째 변화는 걸음걸이였다. 팔자걸음을 고치느라 6개월이 걸렸건만 이번엔 뒤뚱거렸다. 몸이 편하게 걸으려다 보니 지가 알아서 뒤뚱을 택했다. 한 번은 다른 팀의 팀장님이 나더러 '엉뚱하다' 해서

샐러리맨의 기분전환 19

무슨 말인가 했더니 엉덩이가 뚱뚱하단 이야기였다. 원래 오리궁뎅이인데 거기도 살이 붙어 퍼진 것이다. 사람 얼굴 두 개가 바지 속으로 들이밀려 간 꼴이었다. 덩달아 복부까지 팽창해 비로소 엉덩이와 절대 균형을 이뤘다. 상반신은 앞으로, 하반신은 뒤로 환상의 밸런스.

　운동부족은 당연하고 스트레스와 잦은 술자리에 과음, 과식까지 몸이 소화력을 넘어서자 살덩이가 붙기 시작했다. 경계하기 힘든 부서 회식은 나처럼 풍성해지는 악의 축이다. 자칭 동안이라 우겼던 얼굴마저 날 배신했다. 유부남인데 무슨 상관이냐지만 상관이 있어도 너무 있다. 옷이 안 맞고 뒤뚱거리며, 일어나 돌아다니는 게 부담스럽다. 열심히 움직여도 모자란데 악순환을 부르는 중이다. 더 안 좋은 것은 조금씩 자신감을 잃어가고 있다는 것. 샤워를 하며 거울에 비친 나를 보면 적잖이 놀란다. 저 속에 있는 내가 나일까? 이대로면 마흔 줄에 밥 먹으며 땀 흘리고 계단 몇 개에 실신하지 않을까.

　전부 '설마' 때문이다. 옷이 좀 낀다는 조짐이 보였어도 방치했다. 인재도 대부분 그렇다. 조짐은 늘 있었다. 그러면서도 '설마'로 시작해 '후회'로 끝났다. 이제 예전 모습으로 돌아가기 위해 몇 배의 노력을 해야 한다. 마음부터 식사, 운동까지.

우리 부서에서 엉덩이 크기로는 나와 쌍벽을 이루던 남직원이 최근 헬스를 시작하며 슬림핏이 됐다. 어느 때부턴가 매점을 가도 삶은 계란만 먹길래 닭이 될라 그러나 했던 게 체중 감량의 시작이었다. 눈도 커지고 코도 더 오똑해졌으며 파묻혔던 턱은 칼이 되었다. 좀 덥다 싶으면 겉옷을 훌렁훌렁 벗는데 보통 거슬리는 게 아니다. 이 부정적인 시선, 마음, 시기, 질투…, 내 슬픈 감량의 적신호다.

50kg을 빼고 화보를 찍은 개그맨 권미진 씨가 화제였었다. TV에 나와 늘어진 뱃살과 몸무게를 소재로 삼았던 개그 코너는 어쩌면 여자로서 전부를 건 프로그램이었다. 결국, 살을 빼고 무명에서 벗어나 모델들이 찍는 화보까지 촬영하는 성공을 맛봤다. 50kg을 빼기까지 얼마나 피눈물 나는 노력을 했을까. 하지만 테잎을 돌려보면 그녀도 처음부터 100kg을 육박하지는 않았을 것이다. 화보를 찍을 만큼 날씬해진 지금처럼 가녀렸을 테니.

영화배우 르네 젤위거처럼 캐릭터를 위해 일부러 몸을 불리는 사람은 극히 일부다. 내 몸이 살찌는 건 예뻐지고 멋지고 싶은, 그리고 건강해지고 싶은 것에 대한 비간절함이면 충분한 일이다.

종편 채널에 쏟아지는 다이어트 프로그램의 일반인 참가자들을 보면 러닝이 눈물이다. 걷고 뛰는 건 즐거운 일이라 배웠는데. 그렇게 되기 전 흘깃 흘깃 보이는 조짐을 잡았다면 그렇게 애쓰지 않아도 될 일이었다. 그것 말고도 해야 할 일이 얼마나 많은데. 좀 더 재밌고 의미있는 일에 에너지를 쓰려면 그런 일이 커지지 않도록 사전에 막아야 했다. 그렇다고 피부가 흘러내린다는 급 다이어트는 더욱 아니다. 균형 잃고 갑작스레 늙어 쭈글거리면 기분에도 주름 간다. 몸과 마음의 밸런스를 찾아가는 실천 가능한 변화, 그게 가장 중요하다.

그 변화의 시작으로 나는 걷기를 택했다. 차를 두고 출근하기 때문에 아침에 30분은 더 일찍 일어나야 한다. 걷고 나면 해냈다는 성취감이 있다. 그동안 얼마나 편한 삶을 누리며 살았는지 호강한 대가를 이제서야 치른다. 회사가 을지로에 있어 3호선이나 경의선을 탄다. 홍대 입구에서 하차해 2호선 환승을 위해 걷는다. 걷는 그 길이 헬스장이다. 전철을 놓치면 안 되니 파워워킹은 기본이요 사람들 사이를 날렵하게 지날 수 있는 공간확보를 위해 빠른 판단을 내려야 하니 두뇌 회전에도 그만이다. 공짜치고 이 정도면 대박 아닌가.

얼마 전 회사의 전화기를 일제히 교체했다. 화면이 전화기의 절반을 차지하는 화상 전화기다. 상대 얼굴이 보여 아는 사람이 뜨면 반갑지만, 가끔 안타깝기도 하다.

　"야! 오과장, 니 돼지 됐네. 우야노."

여성
프리미엄^{Premium}

여성 은행장이 탄생했다. 보수적인 금융계조차 변화의 흐름에 동참한 것이다. 대한민국 대통령이 여자라서가 아니다. 빛을 내는 자리에 여자가 있다. 남자의 전유물이던 고시·사시 수석이 여자고, 정·재계 여풍은 갈수록 거세다.

우리 회사 역시 역량이 뛰어난 여직원들이 많다. 그들은 여자만이 가질 수 있는 그들만의 프리미엄을 갖춰 어려운 문제를 보다 쉽게 해결할 수 있는 카드를 쥐고 있다. 사회 전반적 시스템도 이래저래 남자에겐 불리할 수밖에 없는 구조로 변해가는 중이다. 달라진 이 변화를 어떻게 받아들일지 현명한 남자라면 이미 눈치챘을 지도 모른다.

샐러리맨의 기본전환 1g

남자가 나이 들면 이사갈 때 멍멍이를 꼬옥 안고 있어야 한다는 얘기가 있다. 우스갯소리 같지만 현실을 정확히 꿰뚫은 슬픈 말이다. 여기서 등장하는 멍멍이는 '나 여기 있으니 버리지 말라' 대신 짖어줄 은인이다. 늙고 병들어 힘없어질 때를 대비해 여자에게 잘하라는 이야기지만 그 유효기간이 지금의 추세라면 급격히 짧아질 것 같다.

이런 긴급한 상황임에도 불구하고 여전히 대부분의 남자들은 여자가 자기 부하 직원이 되는 걸 꺼리는 것 같다. 특히 과장부터 부서장급 관리자들은 다루기 어렵고 부리기 까다롭다며 고개를 흔든다. 여성리더십연구원 : 2012년 6월~7월. 10개 대기업 임직원 2,790명 조사 그것은 대단히 위험한 발상이다. 오히려 그들과 자주 접촉해 능숙히 어울릴 수 있는 자기만의 노하우를 개발해야 한다. 지금 상황을 본다면 앞으로는 여자 상사를 더 자주 만날 수 있기 때문이다. 상사가 아니더라도 최소한 자신과 동급의 여성을 만나 지원을 구하고 협조를 받아야 하는 상황이 많이 생길 것이다. 그래서 열려 있고 받아들일 수 있는 유연한 마음이 필요하다.

일하다 보면 속이 뒤집힐 때가 많다. 그럴 때 남직원은 욕도 하고 엉덩이도 걷어찰 수 있지만 남자끼리만 가능한 일이다. 서로 오해가 있었다면 한 번 확 쏟고 술 한잔 기울이면 그만이다. 그런 것을 이해 못 하면 오히려 찌질이로 추락해 욕만 두 배로 먹는다. 하지만 여자는 다르다. 남직원 대하듯 했다간 속 터져 죽을 수도 있다. 좀 혼내면 잘하라는 의미였어도 눈물 흘릴 수 있다. 사정이야 어찌 되었건 좋은 얘기도 듣는이가 그렇게 느끼지 않는다면 아무 쓸모 없다. 관건은 울리지 않고 진심으로 받아들일 수 있게 전달하는 스킬, 소통이다. 솔직히 그것은 이렇게 하라는 뾰족한 방법이 없는 듯하다. 참 멀고도 험한 길이지만 그래도 다 내려놓으면 남는 건 진심이었다. 곧 직장 10년 차에 들어 돌이켜보면, 머리 쓰고 감정 세워도 '진정으로' 대하는 사람 앞에서는 누구든 손을 내밀었다.

업무 외적으로도 조심해야 할 일이 한두 가지가 아니다. 말은 물론 눈길도 함부로 두면 이상한 오해를 받는다. 여자들은 남자의 터치에 대해서도 상대가 어떤 마음으로 그랬는지 느낄 수 있으며 모르는 것 같아도 자신을 응시하는 눈빛이 있다면 얼마든지 감지할 수 있다고 한다. 이래저래 앞으로는 고개를 들어 가끔 보자 했던 하늘을 열심히 봐야할 듯싶다.

여자는 더 이상 못할 게 없어졌다. 흔히 남녀평등을 외칠 때 제일 많이 입에 오르내리던 군대 얘기도 진부할 정도다. 군대의 어려운 훈련을 많이 받았고, 버티기 힘든 곳을 다녀온 남자들과 비교하지 말란 소리가 입안에서 멈춰, 다시 목구멍으로 넘어간다. 사관학교와 경찰대, 국정원에서도 그녀들이 보이지

않는가.

예전 방식으로 대했다가는 외통수에 걸릴 수도 있다. 다만, 동일한 원칙하에 여성을 대하는 방식을 조금만 달리하면 그들 특유의 섬세함과 부드러움, 꼼꼼함 등의 장점들이 얼마나 큰 무기인지 발견하게 될 것이다.

사실 과거 사회가 권위적인 남성의 것이었고 기회조차 주어지지 않은 상황에서 여자가 할 수 있는 건 아무것도 없었다. 그러다 시대가 변하고 탁월한 여성 인재들이 배출되면서 그들은 내조를 넘어 막강한 지식과 파워, 경제권까지 쥐고 우리 사회를 들었다 놨다 하게 됐다. 게다가 잉태할 수 있는 능력과 남자보다 오래 사는 생명력까지 갖춰 우리 남자들 진짜 큰일났다. 나중에는 '여성의전법개제' 같은 책이 나올지도 모르겠다. 그래서 미리미리 "대단하네 여자가 어떻게 저런 걸 했지"같은 표현도 "대단하네 어떻게 저런 걸 했지"로 바꾸는 게 좋을 것이다.

남성 독자들이여, 읽다보니 욕이 나오고 책을 던지고 싶은가.

숨 돌릴 틈도 주지 않고 여성에게만 엄지를 세웠다고 생각하는가.

아무리 생각해도 이해할 수 없는 여직원이 있는데 어쩌라는 건지 모르겠는가.

일부 여성만 그렇지 여전히 남성들이 지배하는데 무슨 소리냐 싶은가.

좋은 징조다. 반응은 관심이니까. 이왕 시작한 거, 한 번만 더 생각해보면 결국 다 '나'를 위한 길임을 알게 된다. 지금은 잘 안되지만 변화를 인식해 점점 개선되어 가는 나 자신을 발견한다면 기분 좋지 않을까. 그게 발전해 주변, 조직, 사회 전체로까지 선한 영향을 미친다면 당신은 진정한 상남자가 되는 것이고.

최근 「한국의 유교화 과정」을 출간한 한국사 연구자 마르티나 도이힐러 영국 런던대 명예교수는 이렇게 말했다.

"한국 사회의 유교적 전통은 1990년대 이후 급격히 무너졌으며 400년 동안 이어온 부계 중심 사회는 곧 끝날 것이다. 한국은 지금 부계와 모계를 모두 중시했던 고려시대 이전의 양계 사회로 회기 중이다."

다행(?)인 것은 지금의 추세라면 앞으로 영원불멸 여성들이 다 차지할 것 같지만 꼭 그렇지도 않다는 점이다. 남자와 마찬가지로 여자를 잡는 여자는 있기 마련이고 또 그 여자를 잡는 남자도 반드시 있다.

그런 남자는 주위를 돌아보며 현실을 직시하고 포용하는 가슴으로 고개를 끄덕이는 진정한 매력남이다. 어쩌면 거울 앞의 당신?

결핍 =
감사

　은행에 들어가기 전, 나는 한국에서 가장 큰 음료 회사에서 일했다. 그런데 대기업임에도 불구하고 믿기지 않을 만큼 적은 액수의 월급과 아쉬움이 많이 남는 복지, 근무 환경에 적잖이 실망했다. 밤새 이력서를 쓰고 발표 나는 순간까지 애간장 태웠던 기억을 떠올리면 그런 불만은 가당치 않지만 속상한 것은 어쩔 수 없었다.

　연수를 받는 내내 기뻤고 앞으로 어떻게 회사생활을 해야 겠단 생각에 가슴 벅찼다. 정식 발령을 받고 본격적인 사회인이 되어 일신우일신하던 어느 날 알았다. 그 회사는 엄청난 유통망과 자금력으로 시장을 선점해 경쟁업체를 제압했고 직원들은 기존에 하던 대로만 해도 월급을 받을 수 있는, 먹고 사는 데 전혀 지장이 없는 기업이었다. 나는 출근을 하면 할수록 어떤 비전과 목표를 향해 나아가는 열정의 신입사원이 아니라, 그냥 내 이름이 걸린 빈자리를 채우기 위해 나가는 것 같은 기분이 들었다. 마음이 뜬 이상 다른 사람을 위해서라도 하루빨리 정리를 해야 했다.

얼마 후 지금 다니고 있는 은행에 들어와 올해로 만 9년을 보내고 있다. 한 치의 망설임도 없이 만족하고 감사하다. 물론 이곳보다 더 좋은 곳도 많다. 그래서 입행 동기 중에 들어오자마자 떠난 사람도 있다. 싫어서라기보단 꿈을 찾아간 거다. 나는 그것이 투덜거리기만 한 게 아니라 대안을 찾아 행동했기 때문에 결코 나쁘다고 생각하지 않는다. 그런 결핍은 도전케 했고 결국 만족할 수 있는 회사에 다닐 수 있는 기회가 되었다.

부모들은 보통 자기 걸 줄이고 생활비를 아껴서라도 자기 아이에게만큼은 다른 집 애들과 비교해 뒤처지지 않도록, 웬만하면 다 해주려 한다. 그래서 요즘 아이들은 대체로 결핍에 익숙치 않아 보인다. 스스로 채워넣고 성취하며 만족할 줄 아는 훈련이 되어 있지 않다 보니 그것마저 부모가 채워주는 악순환을 반복하고 있다. 아이들을 탓할 게 아니다. 그들은 개선의 여지가 있으니 다행이지만 문제는 다 큰 어른들이다. 특히 뚜렷한 대안이나 해결책 없이 결핍에 투정부리고 입만 내미는 사람들이 어렵다. 처음은 주변에서 몇 번 들어주겠지만 마지막에는 들어줄 사람이 없어 투덜거리게 될 것이다.

해결책이 없거나 실현 가능성이 낮다면 일단 받아들이고 현재 주어진 것에 감사하며 계속 방법을 찾는 게 바람직하지 않을까.

사내에서 겨울 난방비를 줄이고 에너지를 절감하는 차원에서 카디건 스타일의 실내 외투가 제공됐다. '내복입기 운동' 같은 것이다. 객관적으로 디자인, 재질 모두가 가격대비 훌륭했으며 무엇보다 따뜻했다. 그럼에도 불구하고 투덜족들은 결핍을 주장해댔다. 맘에 안 들면 입지 않으면 그만이다. 어떤 형태로든 그렇게 직원을 챙기는 회사가 많지 않다는 점을 고려할 때 그들의 불만은 과해 보였다.

회사에는 반드시 써야 하는 휴가로 '의무연차'라는 것이 있다. 주말을 끼어 잘만 쓰면 열흘 가까이 쉴 수도 있다. 그런데 한 번은 내가 그런 황금기회를, 부러진 어깨를 치료하느라 박

있던 철심을 제거하는 데 다 써버린 적이 있다. 병원에서 휴가를 보내게 된 것이 무척이나 아쉽고 속상했다. 출근하고서도 그 아쉬움이 쉬 가시지 않았다. 제대로 놀지 못한 마음이 결핍으로 변해 마음속에 주저앉았던 모양이다. 누군가 휴가는 잘 다녀왔냐 물었을 때 대답을 잘 했어야 했는데 한 번 더 가야겠다고 아무 생각 없이 답했다. 아직 휴가를 못 간 직원이 많았고 아예 갈 수 없을 지도 모르는 사람도 있었는데 말이다. 수술받은 건 내 사정이지 휴가까지 뺏긴 것은 아니었다. 그렇게라도 쉬고 온 게 어딘가, 나 역시 감사할 줄 몰랐던 어리석은 마음을 반성했다.

여느 회사가 그렇듯, 내가 몸담고 있는 직장 홈페이지 한구석에는 사내에 개선해야 할 것들이나 이에 관한 아이디어를 제안할 수 있는 창이 있다. 그곳이야말로 결핍의 집합체다. 범위도 제한도 없다. 완벽하다 싶던 제도에 쏟아지는 지적을 보면 대단하다. 이 모두는 바람직한 대안을 위한 투덜거림이라 건강한 불만이고 긍정의 결핍이라고 할 수 있다. 그러나 여러 사정상 바로 개선할 수 없는 점을 나무라며 투덜대는 리플을 보면 종종 취업률 소식을 올리고 싶다. 무직자들은 아직 결핍에 맘 놓고 투덜댈 수조차 없는데….

스탠퍼드대 MBA에서 제일 유명한 과목 중 하나가 현역들과 함께하는 '성장하는 기업 경영하기' 다. 창업에서부터 투자, 고용, 해고에 이르는 경영 전반을 배울 수 있다. 그중에 인기 수업인 '해고하는 법'은 어떻게 하면 탈 없이 결별을 통보하고 깔끔하게 관계를 정리할 수 있는지를 다룬다. 학생들은 이해를 돕기 위해 해고하는 이와 해고당하는 이가 되어 롤 플레이 방식으로 수업을 진행한다. 현장은 곧 격해진 감정에 울고 소리치는 실제 상황이 돼버린다. 그리고 역할이 끝나면 아직 자신이 학생이라는 사실을 깨닫고 안도의 한숨을 쉰다고 한다.

그보다
더 진한 냄새

인상적인 치약 광고가 있었다.

모델 이승기가 나와서기도 하지만 수년간 업계를 평정한 2080이란 치약에 숫자로 도전장을 내민 제품이라서다. 컨셉은 상대가 느끼는 '친밀한 거리' 46cm부터 에티켓을 지키자는 것.

담배를 피우지 않는 나에게 애연가의 입 냄새는 가장 참기 힘든 냄새 중 하나다. 시력이 안 좋으면 청각이 발달한다는데 나는 후각이 더 발달했는지 원거리 화장실 냄새부터 피식방구까지 누구보다 빠르고 정확히 맡는다. 그닥 큰 축복 같지 않다. 상황이 그렇다 보니 담배를 피우는 직원과 근접한 거리에 이르면 순간 숨을 참아야 하는 경우가 생긴다. 특히 니코틴 냄새에 설탕과 프림이 든 일회용 커피를 곁들인 입은 접근을 불허한다. 사람이 살다 보면 냄새가 날 수도 있다. 문제는 관리를 하지 않는다는 점이다. 자신이 그런지 모르는 경우는 그렇다 쳐도 이미 알고 있는 경우가 대부분이라 참 아쉽다.

입에서 날리는 페로몬만큼 강력한 것이 또 있다. 발 냄새. 어감부터 죽인다. 손 냄새는 들어보지도 못했다. 도서관에 가면 앉자마자 신발을 슬쩍 벗는 이가 있다. 발가락 사이에서 장시간 숙성된 향이 스멀거리며 올라와 콧구멍을 파헤치면 화난다. 잠 깨는 데는 최고다. 거기다 신발을 막 벗을 때만 느낄 수 있는 미지근한 온기까지 감지되면 불쾌지수 나인^{9}이다. 강도에 따라 반경 6 ~8명은 잡을 수 있다. 누구는 발 편하고 시원하고 싶지 않을까. 그곳에 모인 사람들이 시간을 정해놓고 하나 둘 셋 동시에 신발을 벗으면 도서관은 폐관해야 할지도 모른다.

지점에서 대리로 근무할 당시 여느 직장인들과 마찬가지로 회식 후 노래방을 자주 갔다. 신발을 벗고 들어가는 곳이었는데 1시간 내내 맥주만 배달했다. 들어가 노래 1곡을 부르며 대략 5분 정도 술을 같이 마셨는데 눈이 아려온 경우는 담배연기 말고 처음이었다. 그 뒤로 신발을 벗고 들어가는 노래방은 가지 않았다.

　반대로 그 여느 직장인들이 높은 분이 배석하는 회식자리에 참여하게 된다면 이야기는 조심스러워진다. 마침 상사는 남자지만 깔끔한 성격 탓에 무엇보다 청결을 중요하게 여기는 경우라면 상황은 더욱 심각하다. 그 자리까지 가기 위해 얼마나 자기관리를 했을까. 좋은 이미지를 위해 노력했을 테고 몸에서 나는 악취는 상대를 배려하지 않는 행동이라 생각할 수 있다. 그렇게 생각하는 것은 옳지 않다고 소신 발언할 자신 없다면 그 자리에 자신을 맞추거나 그런 상사를 만나지 않게 해달라 비는 수밖에 없다.

　발에 유독 땀이 많아 냄새가 심한 사람이 있다. 내 발이 이런데 어쩌겠냐로 일관하기보다는 씻으면 제일이고, 여의치 않다면 갈아 신거나 더 센 향으로 후각을 마비시켜 버리는 거다. 그런 노력 뒤에 풍기는 냄새까지는 어쩔 수 없으며 다 함께 나눠마심으로써 고통을 분담할 수 있다.

　입, 발과 함께 3대 트로이카로 빠지면 안 되는 게 땀냄새다. 사무실이 파티션으로 분리 돼 있어 업무를 하다 보면 협조를 구하거나 질문하기 위해 그 경계 너머로 찾아가는 경우가 있다. 대부분 앉아있으니 서 있는 내 코 주변에 머무는 신체 부위는 상대의 머리다. 모니터를 보면서 설명을 들어야 한다면 체류시간은 좀 더 길어진다. 이때 풍기는 복합성 땀내가 매우 공격적이다. 머리와 겨드랑이는 핵 중의 핵으로 흡입과 동시에 거리유지 및 고개 방향 전환을 유도한다. 날씨가 더워지면 시큼한 냄새는 덜 마른, 젖은 걸레 같다. 어떤 직원은 향수나 제거제를 뿌려 최소화에 힘쓴다. 앞서 말했듯 이런 마음의 자세가 있을 때 상대는 냄새가 좀 나도 참고 이해하려 할 것이다. 이는 남녀를 가리지 않으며 이미지 차원이라면 타격은 오히려 여자 쪽이 더 크다.

　머리를 자르려 가까운 동네 미용실에 갔다. 선선한 바람탓에 기분 좋은 날이었다. 눈을 감고 이발을 기다리는데 어디서 자꾸 이상한 향이 풍겼다. 미용실은 염색약, 파마약 등 다양한 냄새가 많아 그러려니 했건만 이발을 시작하자 형언할 수 없는 쎈 녀석이 감지됐다. 언니가 입은 옷은 겨드랑이가 뚫린 박스T였다. 보통 그런 옷을 입으면 안에 얇은 티를 받쳐 입기 마련인데 어찌된 일인지 보이질 않았다. 빗질하러 올릴 때 한 번, 가위질하러 내릴 때 한 번… 자르고 남은 머리를 정리할 때 또 한 번. 한 번, 또 한 번… 그녀는 올렸다 내렸다를 반복하며 파닥거리는 한 마리 새였고 나는 날개짓하던 겨드랑이와 싸울

뻔했다. 끝내음은 잊혀지지 않았지만 미용실은 잊었다.

피곤해 사람들을 멀리하고 싶은가.

재잘거리는 게 귀찮은가.

혼자 있고 싶은데 도처에 사람들이 치이는가.

욕할 필요 없다. 독설할 필요 없다.

안 씻으면 된다.

축의금에
축나다

달

예식장은 30분에 수천, 수백 버는 달.

밀려드는 청첩장에 통장 털릴 지옥의 달.

9살은 장난감 사달라 안달.

4살은 안아달라 안달.

나는 아들만 둘인 목메달.

아내는 일찍 오라 닦달.

야근한 지 어느새 한 달.

슬픈 밤하늘,

나를 위로하는 반달.

시즌이 되면 내 맘이 저렇다.

깜깜무소식이던 녀석들도 나이가 차 슬슬 청첩장을 보낸다. 문자와 메일에 ^^까지 날리며 형, 오빠로 들이댈 땐 외면하기 어렵다. 사실 받은 대로 똑같이 하자면 그들과 다를 게 없다. 그렇다고 마냥 제공할 수도 없는 노릇, 축의금은 그야말로 공포다. 한 달 서너 건은 기본이고 5만 원만 잡아도 2,30만 원은 가볍게 사라진다. 거기에 10만 원을 보냈던 이라면^{받을 땐 무척 기뻤} 겠지만 마치 빚 갚는 기분이 되어 좀 슬퍼진다.

결혼! 돌이켜보면 예식장 잡고 그렇게 수천 씩 낼 게 아니었다. 평생 한 번 있어야 할 식이니 성대하게 치르고 싶겠지만 예식 후 30분만 지나면 허탈감 비슷한 게 밀려온다. 나는 그랬다. 밀물처럼 온몸을 덮친 허한 감정이 머리부터 발끝까지 훑어 이제 떠났나 싶을 때 나가던 물은 썰물에 걸려 또 한 번 나를 때렸다.

한 메이저 신문사가 2013년부터 결혼식과 관련된 기사를 오랫동안 연재하며 사람들로 하여금 잘못된 결혼문화를 다시 한 번 되돌아보게 만들었다. 신문사는 생각보다 많은 지면을 할애해 그에 관한 기사를 올렸고, 들으면 알만한 인사들까지 동참해 결혼의 참 의미를 찾으려 시도한 아름다운 모습이었다. 종종 가까운 지인만 불러 식 올리고 술 한 잔씩 하는 파티를 했으면 어땠을까 싶다. 축의금은 받지 않되 전체 행사비를 줄여 남을 배려해주는 참 좋은 결혼식. 부담 없이 참석해 더욱 많이 축하하며 모두가 즐거운 축제 같은 결혼식. 외국은 그런 문화가 익숙해 호화롭고 정신없는 결혼식이 낯설기만 하단다. 특히 식이 끝나고 인사를 하려면 가고 없는 하객들의 코리안 타임 문화는 압권. 신랑 신부와 사진을 찍을 게 아니라면 미리 1시간 전에 도착해 밥 먹고 예식 시작과 동시에 눈도장과 주차 도장을 찍는다. 포토멤버는 정해져 있다. 특히 결혼식을 앞둔, 지인 한 명이 아쉬운 이들. 그들의 유효시간은 신부가 부케를 던질 때까지다.

　요즘은 불참의 화려한 핑계가 줄을 이어 오히려 주인공을 미안하게 만든다. 누가 되었든 순수한 축하가 가장 먼저지만 나조차 이 시대에 순응하며 사는 어쩔 수 없는 찌질남이 되고 말았다. 그렇게 쥐어짜서 일을 치러주고 나면 숨돌릴 틈 없이 돌아오는 2탄이 남의 집 돌잔치다. 아이 둘 키우며 대출이자 갚고 사람구실하며 살라면 들어갈 돈이 한두 푼이 아닌데 그렇게 2, 3탄의 초대장까지 받게 되면 조용히 눈을 감는다. 이래 저래 불참하면 어느 정도 이해를 해줘야 하는데 그런 이유로

데면데면하는 사람들 보면 인생 참 짧게 보는 것 같아 아쉽다.

그런 게 싫어 둘째이이 돌잔치는 가족끼리 했다. 요란스럽지 않게 마음껏 먹고 이야기하며 즐기는 시간은 마음부터 편했다. 돌이켜보면 항상 첫째는 뭐든 처음이니 돌잔치도 대단했다. 남는 건 하나, 자기만족. 부모가 만족했다면 말리진 않는다. 초대 손님들에게 고급스런 대접이 가능하고 훗날 아이가 컸을 때 당당히(?) 말할 수 있겠지만 내 맘을 위하자고 너무 과했던 건 아닐지 따져볼 일이다. 그러나 이미 뿌려둔 돈이 있으니 어지간해서는 포기하기 힘들다.

가끔 부모님의 뜻인지 당사자들의 뜻인지 축의금은 정중히 사양한다는, 세상에서 가장 아름다운 커플이 있다. 적극 장려해야 할 매우 착한 문화지만 병아리 눈물만큼의 확률이라 봄, 가을을 대비해 축의금 전용 자금을 사전에 준비하는 게 좋을 듯싶다.

앞으로 내가 경사를 통해 공식적인 축의금을 걷을 기회는 아들 둘 결혼식 정도다. '걷히는' 돈이 과연 얼마나 있을까 싶으면서도 이것저것 치르는 데 모자라지 않길 바란다.

B사 웨딩드레스가 3천이다.

B사 아이스크림도 3천이다.

내 아내는 아이스크림을 좋아한다.

B사 드레스는 아직 만져본 적이 없다. 다행이다.

공감

사람이 모이는 곳에는 '나홀로' 행보자가 있다. 이해관계인들이 모인 직장은 그들에게 곱지 않은 시선을 보낼 수밖에 없다. 조직이나 그룹에서 섞이지 못한다는 것은 불리하다. 첨단 시대도 사람이 하는 일이라 협업은 생존이며 '친분'은 필수다.

인간 관계에 대한 배움은 오래전부터 받아왔다. 내가 어릴 적 길을 가다 친구와 그의 어머니를 만나면 친하게 지내라는 이야기를 들었다. 학교도 마찬가지였고 사회도 관계에 대한 가르침은 변하지 않았다. 그것은 무엇인가를 이루는 커다란 힘을 가졌고 좋은 관계는 좋은 결과를 만들 확률이 높다는 것을 알기에 더 많은 투자를 하는 것인지도 모른다. 하지만 저마

다 주어진 환경과 성향이 다르기 때문에 원만한 관계를 유지한다는 것이 말처럼 쉽지만은 않다. 여기서 사람들은 그것을 당연시 여겨 유리막을 치고 사는 이와 그 막을 걷어내려 노력하는 이로 갈린다. 지성이면 감천이라고 후자의 결과가 더 좋아야 맞는 것 같다.

친해지려 노력하는 것 자체를 싫어하는 사람이 있다. 사람의 마음이라 어찌할 수 없다. 때론 그렇게 삐뚤어진 맘을 가진 사람을 과감히 접을 줄 알아야 상처받지 않는다. 대신 친분을 위한 노력의 포커스가 '공감'을 사고 있느냐에 집중할 필요가 있다. 공감을 이뤘다면 마음의 문이 열리는 것은 시간문제다. 이 공감 행위가 과하거나 진심이 결여됐다면 게다가 그게 너무 확연히 드러난다면 본인에게도 '통하지 않은' 책임이 있다.

우리 부서는 직원 수만 40명이 넘는다. 채용 성격이 제각각이고 연령도 다양하다. 남자들이 많다는 이점(?)에도 불구하고 섞이기 쉽지 않다. 시간이 지나면 어느 정도 가까워졌다고 해도 협업과정에서 또다시 한계를 만난다. 그 벽을 깨려 흥미도 없는 당구를 따라다녔다. 자신이 흥을 못 느끼면 누가 봐도 척으로만 보일 뿐 끼리도 공감도 없다.

그러다 아주 우연한 기회에 야구단이 만들어졌다. 직원 수가 많아 1팀 만드는 것은 어렵지 않았다. 3, 40대가 잘하면 얼마나 잘하겠나. 실력은 초등학생만도 못했지만 재미는 거기에 있었다. 야구는 남자의 로망이다. 보던 야구에서 하는 야구는 신기하고 흥분됐다. 투수는 누가 하고 내, 외야수는 누가 할지 즐거운 설전이 오갔다. 딱딱한 글러브를 끼며 승리를 다짐하던 첫날, 넘어지고 부딪히고 그야말로 오합지졸이었다. 하지만 야구를 한다는 자체가 즐거웠다. 나부터 재밌으니 웃음과 유쾌함이 그대로 전달됐다. 잘하고 못하고는 중요하지 않았다. 어느 순간, 우리가 서로에게 주고받은 것은 공이 아니라 공감이었다.

점심시간에 모이면 다들 야구 얘기였다. 그 안에 섞인 나는 이제 어렵던 선배들과 어깨동무하는 한 팀이었다. 이왕 하는 거 좀 더 잘해 팀에 도움이 되고자 개인 레슨까지 받았다. 잘못된 송구, 타격 자세, 캐치볼 등 배운 대로 풀었더니 이야깃거리는 수시로 돌아났다. 나 같은 초보 아마추어의 설명에 그들은 일제히 고개를 끄덕였고 공감 기운은 갈수록 두터워졌다.

과연 효과가 있었다. 어느 날 팀장님이 나를 부르셨다. 신입 직원이든 타부서 직원이든 우리 팀에서 일어나는 일은 누가 봐도 쉽게 알 수 있도록 도와줄 가이드북을 만들라는 것이었다. 시작부터 끝까지 프로세스별 담당자의 자료와 설명 없이는 불가능한 일이었다. 취합만 한 달은 족히 걸릴 방대한 일이었다. 하지만 그런 예상을 깨고 일을 시작한 지 5일 만에 1차 완성본을 책상 위에 올렸다. 무려 100장에 육박하는 방대한 분량이었다. 부끄럽게 박수를 받았지만 사실 그들의 도움 없이는 절대로 할 수 없었던 일이다. 이전과 분명히 달라진 것은 내가 그들에게 편히 다가가 스스럼없이 도움을 요청하고 받았다는 점이다. 똑같은 일이었지만 대하는 마음이 가까워지자 농담과 장난도 친근하게 먹혔다. 마음이 열리면 믿고 싶어지고 원활한 상부상조는 좋은 선순환을 불렀다.

공감을 이루는 활동에 덤으로 건질 수 있는 게 구성원의 특성 파악이다. 얼마나 열정적이었는지 공을 맨손으로 잡다가 손가락에 금이 간 친구가 있었다. 정작 실전에서는 뛸 수 없게 된 것이다. 게다가 그의 아내가 출산일이 임박해 그가 결장한다 해도 뭐라고 말할 사람이 없었으며 오히려 우리가 나오지 말라고 말릴 정도였다. 상대 팀과의 원만한 거리를 조율해 경기장을 인천, 파주, 화성 등 변화무쌍하게 다녔어도 그는 단 한 번도 결장하지 않았다. 붕대를 감은 손가락으로 덕아웃^{dugout}

에 머물며 팀원의 성적을 기록하고 게임 매치와 간식 준비까지 정말 열정적이었다. 부상이 호전되고 배팅 시 충격을 견딜수 있을 만큼 완쾌되기까지 수개월이 걸렸지만 그는 늘 먼저나와 팀원을 챙겼고 묵묵히 자신의 자리를 지켜주었다. 그런친구의 행보는 끈끈한 결속의 key다.

꼭 스포츠가 아니어도 된다. 경영 경제부터 컴퓨터, 인터넷, 인문, 과학, 자기계발, 교육, 재테크, 친목, 취미, 생활, 기타 등등 무엇이든 가능하다. 분명히 사내 어딘가에 그런 모임이 조성돼 있으며 그중에는 회사 지원을 받는 곳도 있을 것이다. 가입해 열린 맘으로 즐기면 된다.

한 가지, 일단 시작했다면 끝까지 참여해야 한다. 중단하면오히려 역효과가 날 수 있으며 이도 저도 끼지 못한 채 표류하는 모습은 아무래도 마이너스다. 누가 신경이나 쓰겠어 할지모르지만 상사는 저만치 떨어져 보고 있다. 모를 것 같은데도말이다. 하지만 누구에게 잘 보이기 위해 모임에 껴 보란 얘기가 아니다. 여러 사람들로부터 원활한 협업을 이끌어내려면돈독한 관계가 필요하며 그것을 보다 윤택하게 만들어줄 이상적인 공감의 시작은 우리의 진실된 참여일 것이다.

묘하게 사람을 끄는 이가 있다. 말을 하기보단 잘 들어주는 사람이 있고, 입만 열면 배꼽을 빼는 개그맨도 있다. 설령 그런 재주가 없어도 조금도 실망하거나 아쉬워할 필요 없다. 공감을 얻고 내 편을 만들 수 있는 길은 내 마음에 얼마든지 있으니.

내게 가장 슬픈 말, "먹고 살아야지"

제4장

나는 Father,
합집합

아들이
기가막혀

아들만 둘이다. 큰 애는 초등학교 2학년 9살이고, 작은 애는 4살이다.

첫째는 말을 빨리 시작한 편이었다. '빨리'의 기준은 모르지만 다른 부모들과 마찬가지로 우리 아이도 타고난 무언가 있어 특별하다 느끼고 싶었나 보다. 설령 단순한 희망이어도 '자식이 뛰어나다'는 동경은 일종의 부모자격증 같아서 조금만 잘해도 진짜 뛰어난 것으로 믿어버리고 싶다. 착각이었다 해도 3살 때 숨바꼭질하며 "혹시 우리 엄마 못 봤어요?"라고 하는데 어린 자신도 '혹시'라는 말을 쓸 줄 안다는 것을 보여주는 셈으로 봐선 근거가 아주 없지는 않았던 것 같다. 그런 아들이 요즘은 말로 아빠를 잡아 당황스럽다.

절대 아이 앞에서 부부싸움 하지 말란 이야기가 있다. 그럴 때 참지 못하면 역효과는 그대로 돌아온다. 아들이 얘기하는 것을 보면 말이다.

"우리 엄마는요 아들이 셋이에요."
"어머, 막내아들이 또 있어요?"
"아뇨, 우리 아빠요."

마트에서 만난 아들 친구네가 던진 질문의 답이다. 아들에게 나는 엄마 말을 제일 안 듣는 아들이었다.

둘째가 생기면서 첫째는 외로워졌다. 둘째 맛에 빠져 큰 아들을 안아주는 시간이 줄었고 9살이 되다 보니 덩치도 컸고 몸무게도 안아주기 부담될 정도가 됐다. 어쩔 수 없으며 다 성장하는 과정이라 여긴 생각은 잘못됐다. 둘째에게 뺏겼던(?) 엄마가 시간이 지나면 예전처럼 자기에게 올 줄 알았는데 꼭 그런 것도 아니란 사실에 더욱 혼란스러운 듯 보였다.

처가에서는 첫째의 탄생이 축제였었다. 어린 아기가 태어난 게 오랜만이었고 아들이 귀한 그곳에서 거의 왕자 수준의 대접을 받았다. 말까지 잘했으니 그야말로 천상천하 유아독존이었다. 그렇게 자신에게 쏟아졌던 큰 사랑과 관심이 동생과 주변의 조카들에게로 나뉘면서 마음이 아팠을 것이다.

어느 날은 자기를 좀 안아달라며 다가왔다. 홀로 쓸쓸했을 아이의 맘을 생각하니 마음이 편치 않았다. 힘껏 안아주며 엉덩이를 토닥일 때 아이의 큰 눈이 슬퍼 보여 아무래도 데리고 나가야 할 것 같았다. 큰아들의 마음을 어루만져 줘야 했다. 그런데 작은아들이 함께 가겠다고 울기 시작했다. 문밖으로 몰아치는 둘째의 울음에 아파트가 쩌렁거렸다. 그래도 형이라고 동생을 데려가잔 큰아들이 고마웠지만 이번에는 허락하지 않았다.

차를 몰며 생각했다.

동생을 울리면 왜 그렇게 혼냈을까.

동생은 정말 그렇게 울만 한 일이었나. 4살이지만 너무 봐줬나.

정신을 차리고 보니 둘째가 눈에 보이고 첫째는 알아서 9살이 된 건 아닐까.

이런저런 생각 중 백미러로 아들이 보였다. 창밖을 보다 방금 전에 잠든 모양이었다. 아이가 근래 부쩍 큰 듯한 느낌이 들자 어릴 때 자주 데리고 갔던 곳이 떠올랐다.

아이가 6~7살 때는 파주 임진각에 있는 큰 목욕탕을 자주 갔다. 그곳은 실내외를 모두 갖춰 물을 좋아하는 부자가 힐링 하기에 더없이 좋은 공간이었다. 물 속이라 온종일 안고 있어 도 힘들지 않았다. 찬물, 뜨거운 물, 미지근한 물에서 놀다가 삶은 계란을 먹는 맛은 일품이었다. 그렇게 몇 시간 살을 부비 며 놀다 오면 아들과 하나가 된 것 같아 행복했다.

그런 아이가 초등학교 입학을 하게 되면서 집안에 남아 있을 동생을 의식해서인지 시셈이 심해졌다. 그 때문에 나와의 충돌 도 잦아졌다. 아이를 혼내고 나면 항상 드는 생각이 '이제 9살 인데….' 하는 후회 뿐이다. 그러면서도 동생을 울리거나, 제어 하기 힘든 언행을 하면 또다시 나부터 수양해야 할 것 같은 상 태에 이르렀다. 나는 여전히 그러면 안 된다는 것을 차분히 가 르칠 자격과 준비가 덜 된 아빠였다. 아직 어린데 왜 그렇게 어 른스럽게 굴기를 바라는지 지난 나의 어리석음이 부디 아이 맘 을 더 아프게 하지 않았길 기도했다.

얼마 전 둘째가 거실 유리창 앞에서 기웃거렸다. 형이 붙여 놓은 나비 스티커를 보며 "으응 나비, 으응 나비"를 반복했다. 그런 아이 몰래 핸드폰 동영상을 찍는데 아이는 붙어있던 나비를 몇 번 쓰다듬더니 날개를 잡고 떼어내기 시작했다. 순간 날개가 반으로 잘렸다. 잠시 머뭇거리던 둘째는 스티커 반 토막을 든 채로 뒤를 슬쩍 돌아보았다. 그리고 찢어진 스티커를 제자리에 다시 붙였다. 거꾸로 붙였지만 나비는 복구되었다. 그걸 보며 손뼉 치는 모습에 녀석의 눈치가 보통이 아니란 걸 깨달았다. 상당한 충격이었다. 동시에, 전부는 아니라도 큰 애가 그동안 참 많이 억울했겠다 싶으니 더 미안했다. 동생이라고 얼마나 봐주고 참았을까. 그저 밝고 씩씩하게 잘 커 주는 아들이 고마웠다.

병문안을 갔다 우연히 소아암 병동을 스친 기억이 있다. 한눈에 들어오는 마스크 쓴 아이들. 칭얼대는 아이. 엄마에게 소리치는 아이. 모두가 나의 아들 또래였다. 그 병실에 있고 없고의 차이로 부모의 희비는 갈렸다.

오늘, 아들을 더 꽉 안아줘야겠다.

아빠는
14살에 ABC

아들이 영어로 궁시렁거렸다. 나는 중학교 1학년, 14살 때 처음 접한 영어로 여간 고생한 게 아닌데 9살인 아들이 지금 그걸 하고 있다. 작은 손으로 꼬부라진 철자를 열심히 쓰는 게 마냥 기특하고 신기하다. 좋아라 쳐다보는 나는 사실 그렇게 어릴 때부터 안 했어도 누구보다 영어를 잘했고 외국인과 대화하는데 크게 어려움이 없었다는 주장이지만 아내는 그런 남편이 답답하단 표정이다. '아내'라기보단 요즘 젊은 엄마들이라고 해야 맞겠다.

나는 어학이 괴로웠다. 여기서 '괴롭다'는 표현은 어학에 대한 나의 주관적인 생각을 가장 잘 표현한 단어가 마땅히 떠오르지 않아 사용한 것임 영어를 못하면 의사소통이 불가능한 의무적 환경이라면 모를까 일부러 시간을 내 어느 수준에 도달할 때까지 끊임없이 공부해야 하는 지속의 부담이 곧 고통이었다. 한글도 벅찬데 영어까지 하려니 인내할 수 있는 수준이 중고등학생과 다른 초등학교 아이들에겐 쉽지 않을 것이다. 피할 수 없으면 즐기라지만 영어를 공부하는 대부분의 학생이 '즐긴다'는 것을 인지하기에는 아직 많이 부족한 미성년자들이다. 그래서 이제 겨우 한국어에 익숙해진 아이에게 언제 써먹을지 모를 외국어를 가르친다는 게 얼마나 효율적인 것인지 많은 궁금증을 갖게 한다.

이것은 단순한 비토나 부정이 아닌 우리 모두가 함께 고민해봐야 할 심각한 문제다. 영어 조기교육을 주장하는 사람들의 이야기를 여기저기서 많이 듣지만, 솔직히 그 얘기가 와 닿지 않는 것은 통계치에 의한 숫자 놀이와 확률만 거론하며 속시원한 답을 주지 못했기 때문이다. 나를 설득시키지 못한 거라면 그들의 논리는 실패한 것일 수도 있다. 한 가지 확실한 것은 그렇게 주장하며 들이댄 수많은 교구와 컨텐츠 덕에 그들의 지갑은 두둑해졌다는 점이다.

주변 친구들이 다들 그렇게 공부하니 부모 입장에서는 내 아이만 제외시키기가 힘들 것이다. 미치고 환장할 노릇이다.

안 할 수 있나? 대안이 없다. 그냥 맛을 보는 정도의 가벼운 터치 정도라면 영어가 즐거울 수도 있겠지만 요즘 어떤 부모가 그렇게 설렁설렁하도록 내버려두나? 입술만 깨물게 된다.

한 번은 아내와 함께 좀 특별하다고 소문난 영어학원의 설명회를 갔다. 그곳 상황을 보니 아내만 갔더라면 기가 눌렸을 만큼 아빠들이 많았다. 그들의 눈빛과 실문은 진지했다. 나 역시 이상한 경쟁심에 마음이 타들어가 질문을 던졌다. 하지만 그것은 냉철한 판단에 의한 행동이었다기보다 무엇에 꽂히면 우루루 몰려가는 어떤 습성을 따른 결과였다. 유명하다는 석학들조차 영어 교육시기가 '초등학교 입학 전이다 후다' 하면서 의견이 갈려 갑론을박하며 결론을 짓지 못하는데 말이다.

잘 가르쳐 훌륭한 학생으로 만들어 줄 거란 희망을 담아 아이들을 학원 승합차에 태우면 덜컹거리는 차 안의 작은 머리통들은 다 같이 좌우로 흔들거리며 뺑뺑이 돈다.

어쩌다 그 지경이 됐는지 참 씁쓸하다. 기본적으로 자녀 교육열이 높아졌다지만 인터넷과 글로벌이 생활화되면서 어학의 십년대계가 수년씩 앞당겨졌고 학원들은 기뻐 날뛰는 반면 부모들은 죽어나는 험난한 시대가 도래했다. 외벌이로 감당이 안되니 맞벌이로 허리 휘는 죽노동의 시장에 내몰리고 있지만

힘들고 어려울수록 부모들의 교육열은 더욱 뜨겁다. 누구보다 입시의 고통을 잘 아는 그들이 어린 자식들 교육이라면 눈에 불을 켜고 덤비는 이유는 어쩌면 좀 더 공부했으면 좀 더 난 삶을 살았을지 모른다는 아쉬움 때문일지 모른다. 이는 빈과 부가 갈수록 심하게 벌어지고 한 칸이라도 더 높은 레벨의 열차에 올라타지 않으면 위태로울 수 있다고 믿는 사람들의 각박한 마음이 세상을 더 격하게 만들었기 때문이지 않나 하는 생각이 든다.

아무리 그렇다고 해도 서로 다른 두뇌, 능력, 환경을 갖춘 아이들을 집단화시켜 한쪽으로 몰아넣는 건 너무 위험한 일이다. 유창한 영어를 구사하는 아이가 등장하는 광고를 보면 눈이 뒤집힌다. 실제로 그렇게 어학 쪽으로 뛰어나고 흥미있어 하는 아이들도 있을 것이다. 그런 친구들은 그 분야에서 앞서 나가는 것이 맞다. 그리고 주변의 자극이 되고 모범이 되어야 한다. 하지만 모든 아이들이 그렇게 될 수는 없다. 내 아들, 내 딸이 그리 되길 희망하며 영어조기교육에 목을 매는 부모의 마음은 백 번 이해 가나 내 불안과 만족이 그 속에 숨어있는 것은 아닌지 생각해 볼 일이다. 두뇌는 시간을 타고 업그레이드된다. 잠재력을 이끌어 낸답시고 섣불리 과부하를 걸었다가 부모, 아이, 선생 모두 고통스런 상황에 처할 수도 있다.

입시학원에서 영어강사를 하며 중1부터 고3까지 학생들을 가르쳤을 때 다음과 같은 사실을 알았다. 이해력과 암기력 그리고 인내력은 학생마다 다르지만 영어 실력을 평균이라 봤을 때 새로운 것, 전보다 내용이 어려운 것에 대해 느끼는 스트레스의 반응은 고학년이 저학년보다 훨씬 탄력적이었다. 너무 당연한 얘기일지 모르나 이 단순한 진리를 깨고 부모들은 몇 살 먹지도 않은 아이들에게 선행학습, 조기교육이랍시고 몰아붙이고 있다.

놀이교육? 많이들 외친다. 하지만 끝내는 외우고 쓰고 익혀야 한다. 일찍 시작하면 그 수고를 훨씬 줄일 수 있다는 논리일지 모르나 그게 과학적으로 증명되었나? 그 효과는 쏟아부은 투자 대비 좋았나? 부모의 기분은 아닐까? 왠지 어릴 때부터 교육 시키면 커서 엄청 잘 할 것 같은 그런 느낌? 그 잘한다는 기준이 얼마나 네이티브한가를 보는 거라면 우리가 어학을 배우는 목적은 처음부터 잘못됐다. 영어를 배우는 이유는 그것을 통해 나의 생각을 표현하고 전달하기 위함이지 외국인이 되기 위한 것이 아니다. 또 표현하고 전달할 수 있는 수준이 되려면 반드시 아이 때부터 배워야 한다는 공식도 없다. 어떤 유능한 학자도 지린 공식을 증명할 길은 없을 것이다. 그야말로 확률과 가능성, 희망 하나 믿고 가는 거다. 비싼 돈 들어갔으니

"영어는 재밌다"라는 생각만이라도 좀 오래 가주면 좋겠는데 정말 피치를 올려야 할 때 영어에 혐오를 느끼고 지쳐 돌아서면, 그래서 나가떨어지면 그때 가서 후회할 텐가. 내가 가장 걱정하는 부분이기도 하다.

교육은 투자다. 산술적으로 얼마를 건질지 아무도 모른다. 다만 교육을 시켜야 할지 말지, 한다면 어느 정도로 얼마를 해야 할지는 부모가 정해야 한다. 어쩌면 우리는 영어가 어렵고 힘들다는 것을 이미 경험했기 때문에 내 아이가 '어렵다'라는 것을 인지하기 전에 머릿속에 하나라도 더 넣으려는 잔인한 행동을 하고 있는지도 모른다.

안다. 종합해보면 처음부터 영어로 생활하는 환경의 학교가 최적의 대안이라는 걸. 유학을 가면 좋겠고, 외국인 학교를 가면 좋겠는데 이도 저도 여의치 않으니 저렇게라도 해야 한다는 걸. 하지만 이것도 안다. 어릴 때부터 뛰어난 어학 실력으로 인정받았다 해서 전부 다 잘되고 성공하는 게 아니라는 거. 그렇다고 그런 위안성 변명으로 영어를 게을리하자는 건 더더욱 아니다.

조율. 바람직한 조율을 말하는 것이다. 영어에 심한 가속을 밟아 아이가 힘들어하면 난 오히려 브레이크를 건다. 종종 그런 문제로 아내와 옥신각신하지만 아이를 믿기에 또 나를 믿기에 우린 조율이 가능하다.

대신 아내의 뜻에 올인하는 게 하나 있다. 책이다. 책만큼은 몇천 권을 읽혀도 말리지 않는다. 아이 엄마에게 머리 숙여 감사해 하는 부분이기도 하다. 아들이 기어다닐 때부터 책을 읽혀 왔으니 어림잡아 2, 3천 권의 두꺼운 자양분을 깔아준 셈이다. 아내가 몸살이 나 열이 38, 9도를 오르내려도 아이가 책을 들고오면 무조건 읽어준 정성과 열정은 단연 대한민국 1등이다. 그 덕에 아들의 독서력은 상상을 초월한다. 책을 한 번 잡으면 책을 덮을 때까지 흔들리지 않는 무서운 집중력은 말할 것도 없거니와 표현력과 이해력은 타의 추종을 불허한다. 아들이 7살 때, 집에 있는 에어컨에 써 놓은 낙서를 보면 지금도 새롭다. “사람이 좋으면 다여요. 사람과 동물은 모두가 좋아야 돼요” 아이는 책을 통해 깊이 사색하고 다양하게 표현하는 힘을 길렀고 온갖 긍정의 힘을 쪽쪽 빨아먹고 컸다.

책의 위력은 공부에서도 나올 수밖에 없다. 독서량이 적은 사람은 같은 내용을, 같은 시간에, 같은 횟수로 들었을 때 흡수력과 이해력에서 독서량이 많은 사람을 따라가기 어렵지 않을까.

'논술'도 해결될 수 있다. 먼 훗날 대입에 그 논술 시험이 살아 있을지 알 수 없지만 글로 표현하고 이야기할 수 있는 스토리텔링의 힘은 사회에 나와서도 결정적일 만큼 유효하다. 그래서 나는 영어 때문에 아이가 스트레스받지 않게 더 단속하고 있다. 무한한 우주의 크기로 힘차게 뻗어 나가야 할 생각의 시, 공간에 영단어가 뭐가 그렇게 대수라고.

나는 영어로 술술 말하는 아들보다, 책을 읽고 자기 생각을 술술 말하는 아들이 더 좋다.

사립을
아시나요?

150만원.

사립초등학교에 들어가는 평균 한 달 비용이다. 1년이면 대
학 등록금과 다르지 않다. 숨이 찬다. 많이 가진 사람이야 얼마
안되는 돈이겠지만 대부분은 몇 날 며칠 고민해도 쉽게 덤비
지 못하는 금액이다.

장점이 많다고 한다. 선생 숫자 대비 학생 수가 적으니 한 번
이라도 더 봐주게 되고, 사교육이 필요 없을 만큼 풍성한 커리
큘럼에 모이는 아이들 수준이 훌륭하다. 원어민 수업이 많아
외국어에 많이 노출되고 악기 등 예체능 선택이 있어 한마디
로 일반 학교 방과 후 시키는 학원 수업을 모두 해결할 수 있다

는 이야기다. 끝내준다. 솔직히 보낼 수 있는 능력만 된다면 보내고 싶다.

많이 가졌거나, 많이 벌거나, 많이 가졌는데 또 많이 버는 사람들. 유학을 보내자니 어린애 혼자 외국에 두기 좀 그런 사람들. 지도층 혹은 공인이라 이목이 걸리는 사람들. 돈은 많이 받는데 맞벌이라 오래 케어해 줄 학교가 필요한 사람들. 대략 이 정도가 사립을 보내는 집안일 듯하나. 그들은 대부분 애들 두어 명쯤 사립에 보내도 무리가 없을 정도의 경제력을 갖추고 있다. 문제는 그렇지 않은데 보내는 사람들이다. 그렇게 넉넉한 능력이 간절하나 없을 경우 무리하면 빠듯하고 쫓기는 생활이 시작되는 듯하다.

오랜만에 만난 지인이 하소연했다. 늦게 결혼해 나이가 많고 아이가 어렸다. 하나밖에 없는 아이에게 좋은 걸 시켜주려다 지금은 하루하루가 죽을 맛이란다. 맞벌이라 처음엔 학비 정도는 무리가 없을 것이고 따로 학원비는 들지 않겠다고 확신해서 아이를 사립초등학교에 보내게 됐지만 그게 아니었다. 아이의 친구들은 대부분 이미 영유아시절부터 남다른 교육을 받아온 터였다. 학교 프로그램이 그 친구들 수준에 맞춰져 있어 아이는 진도를 따라가기도 벅차했다. 결국, 지인의 아이는 학원으로 가는 길을 피할 수 없었다. 학교와 한 달 학원비까지 교육비만 수백만 원. 본인의 용돈은 고사하고 기본적인 생활이 점점 결핍으로 얼룩졌다. 후배들에게 기분 좋게 술 한잔 못 사줬다. 왜 그러고 살아야 하는지 모르겠다며 한숨만 내쉬었다.

영화를 보면 리뷰가 있듯 학교에 대해서도 많은 사람들이 인터넷 게시판에 글을 올려놨다. 그러나 영화와 학교에 대한 리뷰는 그 성질이 너무도 다르다.

영화에 대한 리뷰는 대단히 냉정하다. 재미있다, 재미없다, 감동받았다, 강추, 비추, 발연기 등등등. '그 영화'를 관람했다는 리뷰어들은 나름의 감상평을 늘어놓고 다른 예비 관람자들에게 볼지 말지 선택의 팁을 부여한다. 예비관람자들은 자연스럽게 볼만하다는 리뷰가 잔뜩 달린 영화를 선택하면 끝이다. 반면 학교나 교육에 대한 리뷰는 동감, 동감, 동감으로만 마무리되는 경향이 있다.

뭐든 첫 단추가 중요한 법인데 학교 결정 시 일단 '사립에 보낸다'는 전제를 깔아버리면 리뷰조차 자신의 결심을 도닥여주고 굳혀주는 쪽으로 쏠려보게 된다. 보낼까 말까 불안하기도 하고 그러면서도 보내길 잘했다는 글을 발견하면 그렇게 반가울 수가 없다. 일종의 동지를 만났고 같은 배를 탔다는 소속감.

반가운 글은 밑에 꼭 동감의 덧글을 달고 있다. 덧글은 또 다른 동감의 덧글을 만들고 그 덧글이 또 동감의 덧글을 만들어 계속 이어 나간다. 그렇게 꼬리를 잇다 보면 저 밑까지 달린 글들이 "보내! 보내!"를 외치며 사립에 보낸 부모는 전부 만족하는 것처럼 착각하도록 만든다. 이게 바로 함정이다. 방향을 잃어도 잃은 지 모르게 만드는 상태. 이미 그 상태면 신중하라는 메시지가 있어도 보이지 않는다.

오해하지 말라. 사립이 나쁘다는 게 절대 아니다. 충분한 심사 숙고와 사전 준비를 통해 내린 결정이었냐는 것에 의문을 제기할 뿐이다. 사립학교 수가 굉장히 많지만 그들이 모두 같은 학비에 동일한 교훈과 철학, 시스템을 갖춘 것은 아니다. 더 뛰어난 부분이 있는가 하면 좀 처지는 부분도 있고 비슷한 부분도 있다. 그래서 아이와 내 상황에 가장 잘 맞는 곳이 어딘지 꼼꼼히 따져봐야 한다. 비용도 비용이지만 무엇보다 아이의 인생이 걸린 문제이기 때문이다.

더 늦기 전에 공립학교로 전학을 보내라 했더니 그게 말처럼 쉽지 않은 모양이다. 어렵고 힘든 건 사실이나, 아이가 학교 생활을 좋아하고 있고 학교의 장점이 매력적이라 옮길 생각도 없다고 했다. 만족하면 된 건데 왜 그러느냐 물으니 그냥 초등 6년으로 끝날 수 없을 것 같아서란다. 투자한 게 있으니 아까워서라도 중고등학교까지 사립을 보내야 되는 거 아니냐고. 갑자기 머리가 어지러웠다. 남은 중고교 6년은 어떻게 되는 걸까. 부모는 더욱 궁핍해지고 빚이 있을 확률이 매우 높기에 더욱 안타깝다. 훌쩍 큰 자식은 결혼해 떠나면 그만이다. 그게 부모의 역할이고 그 자체가 기쁨이라 생각한다면 단 1개도 문제 될 것이 없다고 생각한다. 인고와 희생이라 여기지 않을 테니 말이다.

하지만 그런 면에서 내 생각은 좀 다르다. 아이를 낳고 기르는 것은 무엇보다도 나와 아내 두 사람의 즐거움에서부터 비롯되어야 한다고 생각한다. 태어나서 기쁘고, 성장하는 것을 보면 뿌듯하고, 가족이란 구성체를 만들어 사랑을 느끼고, 따뜻함을 만끽하며, 행복한 감정을 이어가는 즐거움 공유하기. 부부가 똑같이 생각하고 추구하는 게 같다면 더욱 완벽한 No problem이다. 그런 마음으로 부모와 자식 간의 적절한 균형을 통해 원만한 교집합을 찾는다면 좀 더 좋은 결과가 나오지 않을까. 누구보다 내가 즐겁고 행복해야 아내도, 자식도 모두가 즐겁고 행복할 수 있다. 나의 지인을 보자. "왜 이러고 살아야 하는지 모르겠다." 하소연하는 그가 행복해 보이는가? 돈과 경제적인 관점으로만 볼 일은 아니지만 쉽게 말해, 수입의 전부인 10 중 자녀 교육비로 10을(또는 11,12를) 다 내고 쪼들릴 바엔 8을 내고 2로 쫓기지 않는 생활을 하겠다는 것이다. 쫓기지 않아야 즐거움이 진정 즐거움이 되고, 재밌는 게 진정 재밌는 게 되고, 행복한 게 진정 행복한 것이 된다. 나는 부모이기 전에 하나의 사람이며 '나'라는 삶의 주인이자 주체다. 어느 한쪽을 접어버리는 식의 희생은 '무모'한 것이지 '숭고'한 것이 아니다.

그런데 왜 많은 사람들이 그렇게 살까. 그건 욕심을 제어하는 기능이 무뎌졌기 때문이라 본다. 조금만 버리면 되는데 못 버린다. "주제를 알라"는 말과 "지나치면 미치지 못하는 것과 같고 무리하면 탈난다"는 말은 하나로 통한다. 일단 탈이 나면 즐겁기도, 행복하기도 쉽지 않다. 욕심을 줄여 세이브된 돈으로 함께 맛있는 음식을 먹고, 재밌는 구경을 하며 '곁에 있어 참 좋다'는 공감을 자주 가질 수 있도록 삶을 꾸리는 게 더 풍요롭다고 생각한다. '투자한 게 아까워서'란 생각도 위험하다. 부모도 사람인 이상 그런 생각을 어느 정도는 할 수밖에 없다. 하지만 양육의 결과에 대한 기대치가 컨트롤할 수 있는 영역을 벗어나 좌절과 실망으로 번져버릴 만큼 지나치지 않게 해

175

...... 나는 Father, 합시다

야하는 것도 바로 우리, 부모의 몫이다.

　결과가 어떻든 아무 상관 없으며 그렇게 투자하고 올인하는 것 자체가 나의 즐거움이요 사명이라고 생각한다면 문제없다. 사실 그것이 부모로서 가져야 할 가장 이상적인 최고의 자세다. 하지만 먼 훗날 모든 걸 쏟아 부었다고 생각하며 그로 인해 혹시라도 자식으로부터 있을지 모를 배신감, 억울함, 서운함 비슷한 것에 앓아눕지 않을 자신 없다면, 지금부터라도 적절한 교집합을 찾는 게 좋을 것 같다.

평일이
평화였다

육아는 역사다. 훗날 아이들이 만들어가는 세상이 그를 바탕으로 하기 때문이다. 그래서 아이를 키운다는 것은 숭고하고 위대한 일이지만 그만큼 난이도는 최강이다.

첫째와 5살 차이가 나는 둘째의 탄생은 우리 부부에게 신세계였다. '응애' 하는 울음소리가 잊혀질 즈음 선물처럼 다가온 아이였고 정신없었던 첫 번째 득남 때와는 사뭇 다른, 여유 있는 기쁨을 느낄 수 있었다.

하지만 나보다 2살 연상인 아내가 다시 5년 만에 출산하게 된 일은 큰 애를 기르며 겪었던 숨 가쁜 고행을 처음부터 다시 시작해야 한다는, 마냥 즐겁지만은 않은 현실을 예측하게 했

나는 Father 한걸음

다. 그것이 아내에게는 엄청난 스트레스였다. 급기야 우울증으로까지 번지게 생겼으니 나는 무척 당황스러울 수밖에 없었다. 가만있어도 눈물이 흐른다는 우울증은 그 공포가 사회 이슈로 떠오를 만큼 심각했다. 특단의 조치가 필요했다.

우선 주말은 무조건 가족이었다. 어떤 조건도 필요치 않았다. 장모님이 가까운 곳에서 사시지만 금전, 고용, 효율, 가치 등 여러 가지 면에서 답은 나였다.

나에게 설거지는 기본이다. 어쩌다 아내의 기분 전환을 위해 백화점이나 마트를 함께 가면 몇 시간은 돌아야 한다. 즐길 준비가 안된 남자에게는 보통일이 아닐 것이다. 무언가를 열심히 사고 결제를 왕창해도 내 물건이 없는 것에 서운해 하면 나만 다친다.

"나는 괜찮소. 당신과 아이들만 행복하다면야"

그 이면에는 이런 사연이 있다.
직장생활에서 단체 활동에 빠지는 것은 그다지 좋아 보이지 않았다. 먹고 살게 해주는 고마운 회사의 일정에 적극적으로 참여해야 하는 것은 당연하며 가끔 있는 동문회도 마찬가지다. 이런 자리에 가면 보통 술과 고기다.

"이게 다 나 혼자 잘되자고 하는 게 아니라 우리 가족을 위해서다."

멋진 남자들의 대의다. 하지만 하루종일 아이와 씨름한 아내는 그렇지 않다. 그 입장에서는 내가 회사에 적당히 둘러대고 집으로 오면 되는 것이다. 아주 간단하다. 하지만 그러지 못해 더 미안하다.

나는 이렇게 집에서 애만 보고 있는데….

너는 고기 냄새, 술 냄새 풍기며 즐기니 좋냐….

하루에 똥기저귀만 수십 번을 갈며 살고 있는데… 술이 넘어가고 밥이 넘어가냐….

나는 애 낳아 몸 퍼지고 수유해서 가슴 쳐지고, 너는 젊고 이쁜 것들이랑 마시니 좋냐….

그러나 아내도 겪어보아 알겠지만 직장생활한다는 것이 얼마나 고달픈 일인가. 위로, 아래로, 업무로, 전화로, 고객으로. 회식이라는 공식적인 술판이라도 없으면 깽판 놓을 지경이다. 회식은 밥을 먹는 자리지만 업무 중 꼭 필요한 얘기가 오고 가거나 평상시 어려운 직장 동료나 상사와의 담을 낮추는 자리이기도 하다. 그래서 어떨 땐 반드시, 꼭 참석해야 하는 경우가 있다. 그런 날 아내가 몹시 힘들거나 남편을 찾는데 반응이 없으면 상황은 더 안 좋아진다. 남편은 남편대로 아내는 아내대로. 그냥 돌아버린다.

그런데 조금 지나보니 내가 잘못 생각하고 있었다는 걸 깨닫게 됐다. 내가 힘들다는 수준에서의 대상은 모두 성인이었다. 그들은 얼마든지 의사소통할 수 있고 어떻게 하느냐에 따라 답도 찾을 수 있다. 동의도, 거절도, 공감도 무엇이든 가능하며 운이 좋을 때는 나를 이해하는 사람까지 만나 훨씬 잘 풀릴 수도 있다.

반면, 아내가 힘들다는 수준에서의 대상은 아기다. 그들의 의사소통은 한계가 있다. 아무리 뛰어나고 훌륭한 엄마라도 답을 찾을 수 없는 게 바로 아기다. 동의도, 거절도, 공감도 일방통행이며 엄마는 무조건 1부터 100까지 이해하고 참고 견뎌야 한다.

아내가 그렇게 힘든 하루를 보내며 기다리는 한 사람이 있다. 남편이다. 남편이 퇴근해서 돌아오는 시간, 하루 중 처음으로 성인을 만나게 되는 거다. 대화가 좀 통할 수 있을 거라 믿고 싶은… 사람. 그런 그가 늦게 들어와 술과 담배에 쩔어 악취를 풍기면 그렇지 않은 남편보다 좋아 보이기는 좀 힘들 것이다. 그래도 OK라는 아내와 함께 사는 당신이라면! 결혼 정말 잘 하신거다.

결혼 생활을 잘하는 주변 남자들의 이야기를 들어보면 하나같이 아내가 말할 때는 성실한 경청의 자세를 보여주란다. 가끔 "그랬구나", "대단하네" 정도로만 그 말에 공감해줘도 만수무강할 거라고. 나는 왜 그렇게 못한 걸까.

그렇게 못한 죄로 주말을 가족에게 드리며 친구zero, 여가zero, 약속zero를 가동했다. 그 가동 덕분에 가족은 종종 나들이를 갈 수 있게 됐다. 아내는 일단 어디를 가면 타의 추종을 불허하는 쿠폰 및 할인 카드 배합 기술로 돈이 아깝지 않을 만큼 뽕을 뽑는, 그러나 원정대 수준이 될 수 있는 가이드 라인을 제시했다. 거기에 유쾌한 큰아들이 합체하면 나는 거품을 물고 졸도한다. 마지막으로 '제발'이라는 말을 막 배운 둘째가 그 말을 반복하며 양팔을 벌리면, 다리를 저는 한이 있어도 아이를 안아 업고 그 길을 헤쳐 나가야 한다. 물론 그분들을 모시고 집으로 돌아오는 운전도 내 몫이다.

집으로 돌아오면 두 아들을 순서대로 목욕시킨다. 첫째가 많이 자라 이제 욕조 안에 둘 다 넣으면 좁다. 어린 동생을 먼저

씻기고 큰놈까지 씻기고 옷을 갈아 입히고 나면 아내가 깎아주는 과일을 입에 넣으며 소파 위로 퍼진다. 퍼진 몸뚱아리 위로 아들들은 또 뛰어든다. 아… 주말이 두려워지며 회사에 출근하는 평일을 그리게 되는 순간이다. 그런 평일 5일을 책임지는 아내는?

　남자들 외롭다. 일이 안 풀리고 깨지고 뜯기면 확 때려치우고 싶다. 가끔은 성인임에도 의사소통이 안되는 이들 때문에 절망한다. 하지만 시간이 지나고 때가 되어야 말이 틔는 아이와 하루종일 씨름하는 '아내'만큼은 아니다. 출퇴근 지옥철이 그립다는 '아내'만큼은 아니다. 그래서 나는 결심했다. 다른 사람은 몰라도 아내 앞에서 땅바닥에 주저앉아 힘들다고 발 구르는 어른 아이는 되지 말자고.

나는 Father, 합답한

딸, 아내를
위한 선물

딸은 귀하다.

아들만 있는 아빠들이 모이면 칙칙하다 못해 대화까지 까슬까슬하다. 자식 현황을 공개하면 여기저기 한숨 소리가 들리며 다들 얼굴이 똑같이 변한다. 이미 겪었거나 겪고 있기 때문에 서로가 어떤 상태일지 너무 잘 알아서 얘기하기 싫어진다. 가끔 속 터지고 말 안 듣는 꼴통들 사연을 풀면 어이 털려 웃는 게 전부지만 묘한 공통의 위로도 받는다. 저 집도 별수 없네 하면서.

회사에 내가 잘 따르는 형님이 계시다. 결혼이 좀 늦어 큰 애가 아직 4살이지만 딸만 둘인 성공남(?)이다. 가끔씩 딸과의

에피소드나 그 앙탈부린 얘기를 듣고 있노라면 내 자식인 양 내가 더 좋아 죽는다. 그 모습과 말투가 그려지기 때문이다. 회식자리에서도 이구동성으로 하나 더 낳으라고 하지만 딸이라는 보장이 없는 한 섣불리 덤빌 수 없다. 중국 황실 달력에는 딸 낳는 비법이 담겨 있다지만, 그대로 믿고 따랐다가 아들을 낳았다면 사기 쳤다고 중국에 건너가 주석 멱살 잡고 흔들 수도 없는 노릇이다.

나는 결혼 전 그렸던 가계도가 있었다. 거기에 딸은 없었는데 생각대로 된다고 생기는 녀석마다 아들이었다. 보통 아들을 임신하면 아내 얼굴이 이상하게 변하고 딸을 임신하면 예뻐진다고 하는데 셋째를 가졌다가 아들이면 내 아내가 정말 다른 사람으로 변할까 두렵다. 아들만 셋, 나까지 넷….

딸에 대한 동경이 갑작스레 커진 것은 결혼하고 난 뒤 내가 부모님에게 하는 걸 본 후다. 형도 별반 다를 게 없다. 오직 딸인 누나만 쓸만하다. 누나가 없었으면 우리 부모님이 쓸쓸하셨을 것 같다. 이게 나만 느낀 거라면 성급한 일반화의 오류겠으나 이야기를 나눠본 수많은 이들의 주장이 나와 다르지 않았다. 특히, 딸은 아빠보다 엄마에게 더 필요하다. 나의 누나도 어릴 땐 그렇게 혼나며 자랐지만 지금은 엄마와 둘도 없는 친

구다. 아무리 아들이 딸 노릇을 잘한다 해도 성별의 다름에서 오는 차이는 영원히 뛰어 넘을 수 없다.

시커먼 아들들과 마트에서 장을 보는 아줌마들을 유심히 보면 하나같이 강하고 터프하다. 남자 녀석들의 행동이 크고 짙으니 그걸 제어하고 가르치느라 엄마의 목소리가 거칠어지고 뒤집어질 수밖에 없는 것이다. 우리집만 그런 줄 알고 남성화 되어가는 아내가 안타까웠지만 종종 더 강한 아줌마를 발견하면 이상하게 위로가 되었다. "음… 쎄다"

여자가 늙어서 필요한 5가지에 딸이 들어간 데는 다 그만한 이유가 있었다. 대부분의 여성들은 때가 되면 찾아오는 몸과 마음의 병이 있는데 불안한 심리를 위로받고, 여자로서 고민을 나눌 수 있는 딸이 그 누구보다 큰 힘이 된다고 한다. 개인차는 있겠지만 여자에게 딸은 그만큼 평생을 거쳐 필요한 존재인 것 같다.

그러고 보면 우리 남자들, 쓸모 있으려면 공손하고 친절하며 따뜻해져야 할 것 같다. 때가 되면 바깥 활동도 줄이고 부인과 함께하는 시간도 자주 가져야 한다. 물론 가끔은 아내의 눈에 보이지 않는 게 더 도움이 될 때도 있다. 그럴 땐 머뭇거리지 말고 빨리 자리를 비워드려야 한다. 그 기회를 절호의 찬스라 여겨 딴짓하는 남자들 있는데, 남자가 늙어서 필요한 5가지가 부인, 아내, 집사람, 와이프, 애들 엄마란 사실을 알면 무릎 위에 두 손을 가지런히 올려놓게 될 것이다.

지금은 아들, 딸을 심하게 구별하지 않지만 '여성 프리미엄'에서 말했듯 양계사회로 회귀하는 현시점에서 장래는 아무래도 딸들이 더 유망할 것 같다. 자식은 하늘이 주는 선물이라지만 이왕 빌 거 아내를 위해서라도 아들, 딸의 비율을 같게 해달라 빌기 바란다. 시간이 갈수록 아빠 챙기는 사람도 딸뿐이다. 초등학생 때만 해도 반겨주던 아들이 중학생이 되니 아빠가 와도 방에서 나오질 않는다는 숱한 선배들의 슬픈 눈을 보면 답은 딸이다.

내가 딸 예찬론을 마구 펴대지만 아들만 있는 게 꼭 나쁜 건 아니다. 일단 맘이 편하다. 얼마 전 저녁 먹으러 나갔다가 어느 음식점 앞에서 목격한 이야기다. 거기서 반주로 마신 술 때문인지 한 아저씨가 가게 문을 나서면서부터 비틀거리기 시작했다. 금방 쓰러질 것처럼 위태위태한 걸음을 걷는데, 갑자기 키가 크고 덩치가 좋은 남자 둘이 나타나 아저씨 양 옆에 붙었다. 그런데 세 사람이 어찌나 똑같이 생겼던지, 굳이 말하지 않아도 아버지와 아들들이라는 게 한눈에 알아볼 수 있을 정도였다. 아저씨는 자기 양쪽을 번갈아 보며 "아빠가 오늘은 기분이 좋다"고 이야기하는 것 같았다. 그 흐뭇하게 웃는 얼굴은 세상 두려울 것 없는, 다 가진 표정이었다. 그날 비로소 잊고 지냈던 아들 동경의 기억이 다시 살아났다. 내 아들들도 나중에 크면 힘들 때 부축해줄 거라 생각하니 맘이 든든했다. 너무 의지하지 말란 악마 같은 속삭임이 귀를 간질이기는 한다.

무섭고 흉악한 세상이라 남녀 가릴 것 없이 불안하지만 그래도 아들이라 그런 면에선 좀 자유롭다. 아내도 자기 스타일은 아들이지 딸은 아니라고 한다. 그러면서도 하는 말이 아마 딸이었으면 최고로 예쁘게 키우느라 나와 아들 모두 찬밥이었을 거란다. 진심 어린 눈빛에 분위기는 숙연해졌다.

나는 앞으로 더 많은 공부를 해야 할 것 같다. 엄마의 마음을 무한 공감해줄 딸을 대신할 수는 없어도 그 반의 반 정도는 해줄 수 있는 남편이어야지 않나 싶어서다. 얼마 전 둘째로 딸을 가진 회사 동료가 아주 여유로운 표정으로 말했다.

"커다란 선물을 받은 것 같아"

로또부인,
꼭 잡았네

로또를 샀다.

아내가 무슨 꿈을 꿨는지 로또를 사야한다며 눈에 불을 밝혔다. 연신 방긋거리는 표정이 이미 1등에 당첨됐다. 뭐 하나 될 것 같은가 보다. 1등 되면 반씩 나누자 했건만 대답이 없다. 토요일 저녁 9시. 집 어디선가 슬그머니 종이 펼치는 소리가 들렸다. 그리고 잠시 후 구기는 소리. 꽝이다.

번호 6개가 뭐라고 사람들이 갈수록 난리다. 먹고살기 힘드니 더 사고, 먹고살 만한 사람들도 남들 당첨됐다는 소리에 지나치지 못한다. 어떻게든 점프하고 싶은 거다. 1줄에 2천 원 하던 것이 1천 원으로 줄어 부담도 줄었다. 1등은 한 줄이니

걸리기만 걸려라. 5천 원짜리 종이지만 수십억짜리 희망을 산다. 희망 값 치고 상당히 저렴한 편이다. 대신 유효기간은 짧다. 불이 나거나 똥벼락을 맞은 꿈을 꾼 날엔 토요일이 언제 오나 눈이 빠진다. 공이 돌아가면 그 짧은 순간에 집도 사고 차도 산다. 그동안 못했던 일들 다 해보며 행복한 상상이 시작된다.

첫 번째 숫자가 나온다. 5개 줄을 빠르게 훑는다. 보인다. 좀 전에 샀던 일들이 현실로 다가오려 한다.

두 번째 공이 나온다. 3D처럼 45개의 숫자들이 앞으로 튀어나와 검열을 받는다. 없다. 보너스 숫자를 기대하며 일단 패스. 아직 남은 공이 있으니 입술을 굳게 다문다. 세 번째 공이 나온다. 없다. 그때부터 슬슬 5천 원이 아까워진다.

네 번째가 나오면 마음을 접고 혹시 본전은 없을까 야속한 숫자를 훑는다. 검열받던 45명의 군사들은 해체되고 종이는 찌그러진다. 꽝도 이런 꽝이 없다. 대체 당첨됐다는 사람들은 어디서 뭘 한 걸까. 정말 저 1등을 먹고 통장에 무더기 돈을 꽂은 걸까. 1등이 10명씩 쏟아지는 요즘 같은 때는 정말이지 로또 명당 찾아 원정 한번 떠나고 싶다.

그런 희박한 로또를 부인으로 맞은 사람들을 보면 더 큰 행운아란 생각이 든다. 돈이야 써버리면 끝이지만 아내는 그 이상을 줄 수 있다. 죽을 때까지. 여기서 '사랑'은 기본이다. 영혼 없는 결혼은 그냥 드라마로 보자. 오래전부터 여자가 남자 잘 만나 팔자 핀 얘기는 이제 식상할 뿐이다. 하지만 남자가 여자 잘 만나 온달, 평강된 경우는 반전이 있어 재밌다.

그 친구는 아직 학생이었다. 남들이 목메어 외치는 SKY출신도 아니고 잘사는 집 아들도 아니었다. 내가 봐도 볼 품 하나 없는 정말 자존심 하나로 사는 피곤한 스타일이었다. 그런 친구가 잘하는 게 하나 있다면 바로 스피치, 말이었다. 말을 잘한다는 것은 굉장한 강점이었다. 특히 면접을 보거나 소개팅을 하는 자리에서 상대는 얼마 못가 그 친구에게 마음을 털렸다. 더 놀라운 것은 상황과 대상이 누구냐에 따라 달변과 어눌함을 자유롭게 오가며 상대가 전혀 눈치채지 못하게 마음의 문을 열도록 만들었다. 다른 친구들이 여러 번 따라 해보려 애썼지만 흉내 낼 수 있는 일이 아니었다. 타이밍과 멘트, 표정, 제스처에 목소리까지. 담배를 피우지 않아선지 울림이 좋은 목소리는 한결같았다. 그래서 주변 사람들은 아나운서 같은 방송일을 권했다. 하지만 그는 일반 대기업에 들어갔고 모두의 예상을 뒤엎으며 제일 먼저 결혼했다.

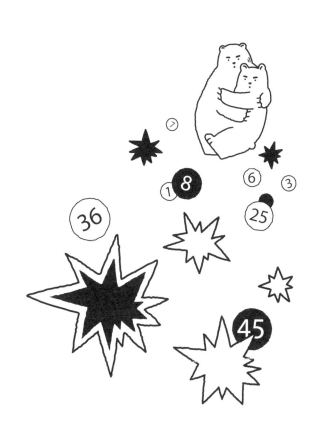

배우자는 이태리에서 보석 디자이너로 일한다는 상당한 재원이었다. 이번에도 빼어난 입털기로 낚았을 거라 생각하니 솔직히 아내가 좀 안됐다는 생각도 들었다. 사람들은 그 친구의 기술이 녹슬기 시작하면 그 관계도 오래 못 갈 거라 했다. 그러나 그 후 얼마 안 있어, 아들 돌이라며 소식을 알렸다. 아직 30이 안 된, 일러도 너무 이른 20대에. 결혼도 못한 친구들은 패닉이었다. 아이가 너무 예뻐 서로 안아보겠다 난리였다. 아이를 안고 인사하는 모습이 좋아 보였는지 모두들 부럽고, 배 아파하는 표정이었다. 그 후로 친구들이 결혼에 박차를 가하며 가정을 이뤄가기 시작했다.

나는 문제의 그 '스피치 기술'을 잊은 지 오래다. 그런데도 아내는 여전히 내 옆에서 나를 지켜봐 주며 사랑해주는 사람으로 남아있다. 둘째 아들까지 낳아주느라고 보석 디자이너라는 그 화려하던 날개를 접고 살아야 했던 그다. 그런 내 인생 최고의 로또다. 나에게 모든 걸 걸었던 아내를 실망시키고 싶지 않아 더 열심히 일했고, 그래서 지금처럼 좋은 회사에 다니며 즐겁고 재밌게 산다. 로또의 유효기간은 이변이 없는 한 명퇴까지다. 현재의 연봉이 계속 늘어날 것을 감안한다면 그 때까지 받을 금액은 어지간한 당첨금이다. 그곳에서 일어날 좋은 일들, 기회들, 인연까지 합치면 금액으로 환산할 수 없는 대박 중 대박이다.

로또를 구입하지 않은 주말에 당첨자가 나오면 꼭 그 돈이 자기 돈 같아 한 주도 거르지 않고 산다는 지인의 말이 생각난다. 당첨은 행운이지만 그 번호를 구입하는 정성이 없다면 찾아와 줄 행운도 없다.

만약 당신이 연애하고 싶은 솔로라면 진짜 로또인 그녀그가 남의 품에 안기기 전에 당첨의 간절함으로 어서 빨리 찾아나서길 바란다. 당신이 못찾겠다면 찾아오도록 여기저기 참석해 얼굴을 알려라.

오늘 갔던 결혼식 신부(신랑)의 지인 중에 당신의 짝이 있었는지도 모를 일이다.

나는 Father, 행복한

제5장

나는 Father,
교집합

벤 다이어
그램 Venn diagram

지금이야 6년이라는 나이 차가 별것 아니지만 어릴 적 형은 내게 힘과 머리 어느 것 하나 넘을 수 없는 벽이었다.

성性에 눈을 뜨며 호기심으로 가득했던 날, 부모님보다 오히려 형에게 들킬까 겁났다. 19금 영상에 뒤로 나자빠져 숨을 헐떡이던 밤은 내 삶을 통틀어 몇 안되는 스릴이었다. 하지만 그 스릴에 오감이 마비되고 이성은 전부 감성으로 변해버렸다. 마성의 비디오테이프를 삽입하고 플레이 버튼을 누른 순간, 눈과 귀를 사로잡는 살색과 신음의 향연. 심장이 터지고 성의 눈높이가 개마고원에 이를 때, 누군가 현관문을 여는 소리가 들렸다. 형이었다. 이성이 털끝만큼 살아나며 '너무 오래 보았노라.'고 자책하게 한다. 상황을 종료시키려 버튼을 누른 순간, 평소 그렇게 잘 들락거리던 테이프가 빠지지 않았다. 나이는 어렸어도 eject라는 단어만은 정확히 알고 있었던 나는 버튼이 깨질 정도로 다시 한 번 꾹 눌러 보았다. 테이프가 나오지 않는다. 형이 곧 들이닥칠 거다. 급하다. 다시 눌렀다. 안 나온다. 형의 발소리가 들린다. 다시 눌렀다. 다시! 다시! 엄한 비디오 몸통을 내려친다. 형이 온다. 나와라! 제발 나와라! 제발! 제발! 제발! 테이프는… 끝내 나오지 않았다.

그가 문을 열자 차가운 공기가 방 안을 휩쓸었다. 내 주변 열기가 대단했던 탓인지 추위가 몰려오는 것 같다. 형의 시선이 발갛게 달아오른 내 얼굴을 거쳐, 비디오 전원을 껐을 때 보이는 파란 TV화면에 멈췄다. 뜨거운 방 안 공기와 부자연스런 동생의 자세 그리고 저 파란 화면… 누가 봐도 수상했다.

"너 뭐 봤어!"
"뭘?"

형은 내 심장을 만져보겠다는 제스처를 취했고, 난 당당한 척 들이댔다. 그런데 그러면 안 될 일이었다. 이미 내 입술은 파르르 떨리고 있지 않았던가. 형의 집요한 추궁에 아니 협박너 엄마한테 이른다!에 나는 자백했고 하필 그때, 그 빌어먹을 비디오

테이프가 밖으로 나왔다. 제목도 없는, 그 적나라한 모습으로. 형은 아주 엄격한 얼굴로 그것을 수거해 갔다. 그러나 결국 그도 한통속의 사내였다는 사실을 깨닫기까지는 오랜 시간이 걸렸다.

형은 장남이라 부모님의 기대가 컸다. 비싼 과외를 받고 재수까지 하며 어떻게든 하늘SKY에 닿아보려 애썼지만 결국 이루지 못했다. 그 상처가 컸는지 형은 어떻게든 동생만큼은 좋은 대학에 보내야겠다 다짐했던 것 같다. 어느 날 나의 집중력을 높여주겠다며 이상한 기계 하나를 사왔다. 형이 몇 달 동안 힘들게 아르바이트해서 번 돈으로 산 비싼 물건이었다. MC스퀘어. 집중력을 향상시킨다는 획기적인 아이템이었다. 고2 그러니까 1995년에 굉장한 돌풍을 일으킨 제품이었다. 하지만 나와 궁합은 별로였다. 영화 엑스맨에 등장하는 캐릭터 중 하나가 착용한 안경과 비슷한 것을 쓰고 이어폰을 끼면 눈앞에는 불꽃이 터졌고, 귀에서는 신호음이 반복됐다. 참고 기다렸지만 정신이 몽롱해지며 그나마 안 좋았던 집중력까지 감퇴해 잠이 들었다. 엄마는 고단해 보이는 아들을 깨우지 않았고 더분에 난 책 한 장 안 보고 시험을 치른 용감한 학생이 되었다.

놀라운 것은 그 해 가장 달고 맛난 잠을 잤다는 점이다. 하지만 아직도 그 숙면의 원인이 MC스퀘어 덕분인지 아니면 유독 일찍 잠든 덕분인지는 여전히 알 수 없는 일이다. 물건은 환불했다. 20년도 더 된 일이지만 사실 형의 노동의 대가 치곤 너무 비싸 처음부터 받을 생각이 없었다. 이렇게 말하고 보니 불타는 형제애를 보며 대성통곡했던 영화, 장동건 원빈 주연의 '태극기 휘날리며'가 떠오른다.

형 장동건은 구두를 닦아 힘들게 번 돈으로 동생 원빈에게 고급 만년필을 선물한다. 6.25전쟁이 일어나 둘은 북한군과 한국군이 되어 만나고 총알이 빗발치는 전장 속 원빈은 형에게서 받은 만년필을 건네며 살아서 다시 자기에게 달라고 말한다. 그리고 장동건은 한국군인 동생 원빈이 살아서 후퇴할 수 있게 기관총을 돌려 북한군을 쏘기 시작한다. 원빈은 절규하며 형을 부르고 동건은 수십 발의 총을 맞으며 전사한다. 그 흔들리는 몸부림이란… 쓰러진 모습 그대로의 뼈를 6.25전사 유해 발굴단이 찾아내고 앞주머니 어딘가에 있었던 원빈의 이름이 새겨진 만년필도 함께 발견된다. 백발노인이 된 동생은 만년필을 건네받고 이렇게 말하며 운다.

"살아서 준다고 했잖아요"

옆좌석에 앉았던 40대 아저씨와 휴지를 나눠쓰며 꺼이거렸던 영화. 코가 많이 닮은 나의 형이 장동건이면 난 원빈이 되는 건가…. 잠시 행복하다. MC스퀘어와 만년필에서 나오는 뜨거움. 형제는 이런 맛이 있다.

누나는 늘 동생인 나를 업어 키웠다고 주장한다. 잠에서 깬 동생이 엄마가 안 보이면 우는데 불쌍해 같이 운 적도 많았다고 한다. 어린 남동생을 업고 길을 나서지만 엄마가 있는 가게로 가는 길에 높은 계단 하나가 있어 항상 고군분투했다 한다. 그렇게 날 키운(?) 누나는 지금 정식 와인 소믈리에 겸 커피 바리스타다. 내가 볼 땐 그 맛이 이 맛이고 이 맛이 그 맛인 것 같은데 와인과 커피의 미묘한 맛의 차이를 오가며 열심히 사업하는 누이가 멋지다. "커피를 사랑한 소믈리愛" 대박을 기원하며.

형제들이 남들보다 더 애틋하고 특별할 수 있는 것은 어린 시절부터 그들만이 나누고 공유했던 추억이라는 가치가 있어서다. 모일 때마다 이야기를 꺼내고 반복해도 재밌고 웃음이 나는 이유다. 그렇게 성인이 되어 대화를 나눌 때 갖는 공감의 시간은 또 그 시간대로 희소한 가치를 준다. 그렇게 정은 더욱 돈독해지며 선순환을 만든다. 그럴려면 무엇보다 마주하는 시간을 자주 가져야 한다. 얼굴을 보며 맛있는 음식을 먹고 서로의 이야기 그림에 더 의미 짙은 색을 칠할 수 있는 기회는 그래서 소중하다. 함께 그린 공감이라는 그림 속에 자녀, 취업, 건강, 학교, 직장, 사업 등 수 많은 상담꺼리를 녹여 넣을 때 혼자서는 보지 못했던 해결의 길을 찾고, 남들에게 말하지 못했던 일도 시원하게 털어놓을 수 있다.

하지만 요즘은 1년에 한두 번 볼 수 있는 설날, 추석의 의미마저 사라지고 있는 것 같다. 형제라는 단어도 점점 희미해진다. 어느 날 훌쩍 큰 내 형, 동생의 자식들이 앞을 스쳐도 모를 일이다.

그래서 나의 형제들은 일부러라도 모임을 만든다. 사는 곳도 하는 일도 모두 다르지만 가족 구성원의 생일이 있는 달은 다 함께 모여 식사를 한다. 가족 수가 모두 13명에 달해 식비가 상당하지만 결코 한 집에서 내지 않는다. 반드시 모아서 낸다. 한 달 내지 두 달에 한 번 있는 형제간 모임이라 한 집에서 밥 한 번 정도는 살 수 있다. 하지만 만남이 지속되려면 결코 부담이 되어선 안 된다는 원칙이 그 아래 깔려 있어야 한다.

수학의 정석을 펼치면 가장 맨 앞에 '집합'이 나온다. 나는 거기에 나오는 '벤 다이어그램'을 무척 좋아한다. 그 그림만큼 삶을 간결하고 핵심적으로 잘 표현한 것도 없다. 둥근 원과 사각형 안에 합집합, 교집합, 여집합이 있어 합치고 교류하고 때론 거리를 둔다. 나는 그중에서 공통으로 겹칠 때 빗금을 치는 교집합이 가장 좋다. 함께 교류하고 공유하며 공감하는 것. 원이 두 개일 때는 보통 겹치는 곳이 한 곳이지만, 원을 세 개 그리면 여러 개의 교집합이 생긴다. 그곳에 공통의 관심사를 넣으면 고리는 자연스럽게 연결되고, 그런 게 모이면 나눌 이야기가 있어 대화는 갈수록 즐거워진다. 점점 만나는 횟수가 늘며 단순한 친목을 넘어 유익성까지 겸할 때 함께 있는 것이 재미요 곧 행복이 된다.

그럼에도 불구하고 오해와 불신이 생기는 것은 빗금 칠 교집합을 찾지 못해서일 확률이 크다. 수천억씩 가진 재벌가 형제들이 여전히 재산 문제로 법정 다툼을 하고 부모의 상속권을 놓고 치고받는 안타까운 일들이 벌어지는 것을 보면 말이다. 양보란 상상할 수 없고 오로지 냉혹한 싸움만 있다.

세상에 사람은 많다. 그러나 어느 누구도 내 부모와 형제, 가족보다 우선일 수 없다. 혹시 멀어진 형제가 있거나 어색한 상황이라면 더 늦기 전에 총무를 자처해 교집합이 되어 그들을 합집합으로 안아보는 건 어떨까.

다 커서
만난 식구

형이 전화를 걸었다. 신촌이니 빨리 나오란다. 추운 겨울이었지만 장소가 장소인 만큼 뭔가 신나는 일이 생길 것 같아 가슴이 살짝 떨렸다. 옷을 다 입고 거울 앞에 섰다. 목도리까지 두루니 더할 나위 없었지만 아무리 봐도 머리는 너무 추워보였다. 나는 어지간해서는 모자를 쓰지 않았지만 그 날만큼은 무언가를 꼭 써야 할 것 같았다. 그때, 며칠 전 색깔이 예뻐 사둔 털모자가 눈에 띄었다. OK! 집을 나선 내 발걸음이 가벼운 리듬을 탔다. 택시는 아현동을 지나 이대로 들어섰고, 창밖은 평소와 같았지만 마음의 기대가 커지자 길은 1m씩 새로웠다. 그러나 도착해 문을 연 순간, 기대는 좀 다른 쪽으로 했어야 했고 분위기는 진작부터 차분했어야 옳았다는 것을 알게 됐다.

지금의 형수가 앉아 있었다.

"봐! 소지섭이랑 똑같지?"

추운 날씨 탓에 입가와 코끝이 벌게진 동생을 앉으라며 반기는 대신 형은 망언 신공으로 첫 대면을 하는 당사자 둘을 적잖이 불편하게 만들었다. 형수님은 작은 목례로 나의 입장을 환영했지만 이미 실망한 거룩한 표정이 보였고 주름이 촘촘하게 갈리는 소리가 들렸다.

어디를 가든 항상 남동생을 최고라 여기며 자랑하고 싶어했던 마음을 이해하지만, 무릇 비교의 대상이 연예인이라니 형의 충동적 발언은 듣는 이의 기대와 실망을 전혀 배려하지 않은 무심한 처사였다. 형이 불러서 가보면 대부분 그런식으로 얼굴이 털렸고 즉석에서 희비가 갈리는 고역을 치러야 했다. 그닥 상큼하지 않았던, 형수와의 첫 대면은 그랬다.

후에도 여러 번 회자된 얘기지만 비니 모자만 안 썼어도 그렇게 나쁘지 않았을 거란 얘기는 씁쓸했다. 원래 넓적한 얼굴이라 모자가 안 어울리는 건 알고 있었지만 외모로 돌직구를 맞은 건 처음이었다. 그녀는 다 커서 만난 식구, 형수다.

나는 Father, 고집불통

소지섭? 전혀 안 닮았다. 수영을 했던 그 사실은 비슷하다. 키도 클 만큼 컸다. 그러나 문제는 얼굴이다. 일단 소지섭을 코 앞 거리에서 본 적이 있는 나로서는 그의 사람답지 않은 얼굴 크기에 치명적인 내상을 입었고 그를 닮았다며 자랑하는 형의 망언은 상처 위에 앉은 딱지를 잡아 뜯는 스트레스였다. 제발 그러지 말랬더니 그때부터는 다른 사람 얘기를 하고 다녔다.

송.승.헌.

그렇다. 어쩌면 그는 자신의 희망 사항을 동생에 투영시켜 말도 안되는 망상적 희열을 간헐적으로나마마 느끼려 했는지 모른다.

젊음의 20대였던 형제는 각자 친구들을 만나 즐기다가도 집 근처에서 다시 만나 술을 마셨다. 6년이라는 나이 차는 그야말로 숫자였고 같이 자란 피는 제대로 통했다. 서로를 케어하지만 한쪽이 취하면 한 쪽은 더 취해 함께 망가지는 용감한 형제였다. 그 역시 추억이 되어 차곡차곡 공감으로 쌓여갔다. 무엇보다 힘들고 어려웠던 시기를 함께했다는 뜨거운 전우애가 그 원천에 있어, 누구도 범접하거나 흉내 낼 수 없는 형제애

를 과시하기도 했다. 그랬던 우리가 각자의 가정을 꾸려 가장이 되고 운영자를 들이면서 화려했던 파트너십은 조금 소박하고 심심한 것으로 바뀌게 되었다.

한 번은 가족들이 각자의 가정에서 좀 먼, 일산까지 왔다. 형은 동생 집에서 와인을 마시며 기분이 좋다고 한 잔 더 하겠다는 강한 의사를 비쳤지만, 옆자리에 앉은 형수가 "매일 술 마신다"는 핀잔과 "운전은 어떻게 할 거냐"는 걱정 2가지 팩트를 적절히 섞어서 그 분위기에 '이성'을 달아주었다. '책임'이라는 가장의 이명에 부족한 알콜과 흥은 자연히 연기됐고 형은 역할과 의무를 다하는 아버지와 남편으로 돌아가 무사히 가족을 이끌고 귀가할 수 있었다.

십수년 전에 기분 좋게 취해서 형과 함께 걷던, 집으로 가는 길은 비가 올 땐 비 비린내가 코를 스쳤고 맑은 날엔 달큰한 밤 공기가 마중 나와 있었다. 우리가 내딛는 "잘될 거라"는 희망과 "형제가 있다"는 든든함이 저벅저벅 길을 밝혔다. 그 기분이 그리웠다. 하지만 그렇다고 꼭 옛날로 돌아가고 싶다는 얘기는 아니다. 과거 2, 3천 원짜리 안주 하나를 시켜놓고 가진 돈보다 술값이 더 나올까 봐 카운트하던 조바심을 괜찮은 술과 안주를 시킬 줄 알고, 편히 즐길 수 있는 지금의 여유와 바꾸기에는 이제 나도 나이가 들었다. 우린 어느새 30대 중반, 불혹 3년 차에 접어든 아저씨들이니까.

지금은 그런 쫓기는 술자리는 없지만 대신 형과 한잔 하기 전 반드시 보고 드려야 할 형수님이 생겼다. 그녀의 자리는 결정적이다. 서로 맞지 않아 소음이 잦고 그로 인해 형제끼리 멀어지는 안타까운 경우가 있는가 하면 반대로 현명한 사람이 들어와 서먹했던 관계를 다시 이어주는 감사한 인연도 있다. 나는 생활력 강하고 배려심 많은 착한 형수를 만나 얼마나 고마운지 모른다. 그 덕에 형제의 파트너십은 그립고 가끔 추억하는 맛으로 놔두는 것이 더 유익하겠다는 결론을 내리게 된 것 같다. 과거처럼 마셔대다간 우리 둘 다 응급실에 실려갈 지도 모르지 않은가?

형수가 있는 남자들은 기억할 게 있다. 그녀는 다 커서 만난 식구이며 무엇보다 여자다. 그녀가 어떻게 하느냐에 따라 내 부모와 형제의 행복지수도 달라질 수 있다는 것을 공감한다면 바로 문자 한 통 날리는 센스가 필요하다.

생각난 김에, 나도 형수님께 메시지를 보냈더니 카톡 머리에 붙었던 '1'이 없어졌다. 그리고 이렇게 답장이 왔다. 수많은 해석이 가능한 말!

"^^"

태생알콜
거부증

공공의 적 : 지정된 여러사람 혹은 모든 사람의 적.

남자가 갖춰야 할 덕목을 다 가져 공공의 적인 이.

최고라고 다들 인정하는 데도 부족한 것 같다며 '아버지 학교'를 다니는 겸손이 얄미운 사람.

집에 오면 청소기부터 돌리는 남자.

맞벌이에 자신의 무게를 싣기보다 배우자를 치켜세우는 아저씨.

교육이 잘 된 사람이 직장도 좋아 부러움을 한몸에 받고, 퇴근하면 커피숍을 운영하는 슈퍼맨.

성실에 부지런까지 좋은 건 혼자 다 하는 그.

공부, 운동, 노래까지 남자 여럿 좌절시키는 나쁜 사람.

그런 그가 못하는 게 딱 하나 있다. 술!

그는 태생알콜거부증이다. 내가 지은 병명이다. 술을 못 마시는 정도가 아니라 알콜이 한 잔 들어가면 정신이 혼미해지고 얼굴이 벌게져 터질 것 같은 사람이다. 그래서 누이와 결혼해 16년이 된 올해까지 처남인 나와 단둘이 거하게 한잔 못한 매형이다.

로망이 하나가 있었다. 대학 때 친구와 학교에서 밥을 먹는데 누군가 친구를 불렀다. 그의 누나와 매형이었다. 그들이 사준 밥은 훌륭했다. 사랑을 베푼 능력도 근사했지만 묵직한 용돈으로 형제애를 뜨겁게 승화시켰다. 매형과 술도 자주 먹는다는 그가 부러웠다. 그 친구가 가족 내에서 어떤 열쇠를 쥐고 있는지는 모르겠으나 그런 류의 의외성은 나에게 신선한 충격이었고 계속된 매형 자랑에 로망이 피었다. "나도 있는데".

매형의 장모인 나의 엄마는 술을 못 먹는 사위가 세상에서 제일 예쁘시단다. 음주운전 안 하고, 대리운전비 굳고, 건강 챙기고 술보 피 볼 일 없으니 최고 중 최고라는 것. 누나는 물론이고 아이들까지 술 냄새나지 않는 아빠가 좋단다. 아! 담배를

끊은 지도 수년째다.

　얼핏 자기 삶을 포기하고 사는 게지 어쭙잖은 위안을 해보지만 잠시다. 술, 담배 없이 살며 일주일에 한 번 밴드 연주를 즐기고, 교외로 나가 모터사이클도 탄다. 무슨 재미로 살까 했지만 아주 건전하고 바람직하게 즐기며 살고 있었다. 남자라면 술도 좀 하고 놀 줄 알아야지 그게 뭐냐고 재미없을 거라 생각한 내가 순수하지 못했다. 세상에 즐거울 일이 얼마나 많은데 고작 술 먹고 노닥거리는 일만 떠올렸을까. 자신의 역할과 책임을 다하며 그 안에서 인생을 즐기는 진짜 상남자다.

　그러기 전, 누이가 행복하게 살고 있어 그의 존재는 더 값지다. 술을 못하고, 대학 때 채우지 못한 매형 로망은 여전히 아쉽지만 그가 이미 나에게 긍정의 모델 그 이상을 보여주지 않았던가.

나는 Father, 교감함

　얼마 전 구입하신 오토바이 참 멋집니다….
　예전 제 헬멧이 아직 머리에 맞던데 말이죠….
　바깥 공기가 그렇게 시원하다죠….

　사랑합니다.

애증
남자

매질이 시작됐다. 발가벗겨진 몸이 검붉게 될 때까지 밥솥의 전원을 잇는 전선은 계속 내리쳐졌다.

8살짜리 아이가 감당하기에 고통은 잔인했다. 몸을 휘감는 시커먼 줄이 살 속을 헤집자 온몸을 뒤틀며 나자빠졌다. 거짓말을 하고 오락실에 간 죄였다. 매서운 겨울바람이 부는 1월, 팬티 바람으로 쫓겨난 아이의 몸에 소름이 돋았다. 살에 솟은 털들이 흰 눈으로 덮인 야산의 나뭇가지처럼 메말랐다. 아이는 달그락거리는 치아를 깨물며 살려달라 외쳤다. 발이 너무 시려 한 곳에 서 있을 수가 없었다. 그의 형이 나타나 얼어가는 동생의 팔과 다리를 문질렀다. 인기척에 형이 사라졌다. 그때 나타난 남자, 아이를 쳐다보았다. 닭발처럼 오그라든 손을 비

비며 잘못했다 빌자 남자는 옥외 화장실에서 언 똥을 녹일 때 쓰던 빨간 바가지에 찬물을 퍼 와 몸에 부었다. 뼈가 찢기는 고통에 아이는 비명을 지르며 쓰러졌다.

30년이 지났지만 지금도 그 바가지를 들었던 이가 내 아버지가 아니었길 바란다. 하지만 배우지 못한 무지와 거침, 잔인함과 공포의 정점에 섰던 그는 어쩔 수 없이 내 아버지였다.

닌텐도를 사다 놓고 가족끼리 다 함께 오락을 즐기는 요즘 세대를 생각하면 황망하다. 자극적인 것은 예나 다를 게 없지만 적어도 화면 밑에 칼과 총이 들려 실제로 적을 죽이는 듯한 혼돈의 우려는 없었던 소박한 게임이었다. 그럼에도 나의 부모는 오락실에 악당들이 많다는 이유만으로 출입을 불허했다. 하지만 금지된 사랑이 더 짜릿하고 허락되지 않은 놀이가 더 끌리는 법. 전자 오락의 유혹은 달콤했다.

학교 정문으로부터 절묘하게 떨어져 있는 오락실은 귀여운 거짓말을 만들었다. 악당보단 그 거짓말을 생산해내는 머리가 더 위험했다. 부모의 안 된다는 금지령이 아이의 양심을 노그힌 건 아주 잠시 뿐이었다. 그 유혹이 가득한 입구에 서서 들어가도 되는 정당한 이유를 만들고 불안한 마음에 마지막까지 주변을 살피는 치밀함도 보였다. 좋았다. 알록달록한 화면과 쉴 새 없이 움직이는 캐릭터 그리고 소리. 여기저기서 터지는 탄성과 아쉬움이 동공을 늘려 어느새 가장 HOT했던 게임 앞에 차례를 기다렸다. 순번의 증거로 50원짜리 동전 2개를 버튼 옆에 올려놓으면 먼저 와 기다렸던 아이가 자신이 0순위임을 확인하는 무언의 눈빛으로 나머지 순위들을 한 걸음 물러서게 했다. 방구차, 이소룡, 올림픽, 1942 ….

그렇게 심장 뛰던 혈전이 끝나면 집으로 가는 길은 다른 날보다 길다. 하교 때 보이던 낯익은 학생들이 보이지 않아 불안하다. 친구들과 고무공으로 짬뽕 놀이를 했다면 될 것을 누군가 나를 봤을 것 같은 두려움이 가슴을 조였다. 집에 들어서면 아무렇지 않아야 할 심장이 벌렁거리고 얼굴이 상기되어 엄마 눈치를 살핀다. 무서운 직감. 그러다 제보자무명의 배신자가 나타나면 길었던 꼬리는 밟히고 마침내 심판대에 오른 난 산산조각 났다.

지금은 팔지 않지만 '마스코트'라는 곰돌이 모양의 200원짜리 아이스크림이 있었다. 마당을 쓸던 엄마가 200원을 어디에 썼냐 물으시길래 집 앞 가게에서 마스코트를 사 먹었다 말했다. 엄마는 내 손을 잡으시곤 천천히 가게로 향하셨다. 엄마가 오락실에 간 사실을 알고 있다 직감했고 울먹이며 용서를 빌었지만 늦었다. 늘 그런 식이었다. 넘겨짚은 고수에 덜컥 걸리고 마는 것. 아버지가 없을 땐 엄마가 매질을 했다. 온몸이 피멍으로 물들어 갈 때 너무 아프니 여기서 멈추게 해달라 기도하자 아버지가 나타났다. 늘 두려움이던 그가 구원자처럼 보인 것은 처음이었다. 이미 엄청 맞았으니 이제 끝났구나 싶은 순간,

"여보, 오락실 사건 아시죠?"

엄마는 마음의 피가 뚝뚝 흐르는 밥솥줄을 아버지에게 건넸다. 그렇게 두들겨 패고도 모자라 아버지에게 매를 넘긴 엄마나 그걸 받아들고 지옥 같은 매질을 다시 시작한 아버지나 정상은 아니었다. 그러나 그들에게 매질의 옳고 그름의 기준은 처음부터 아예 없었다. 그렇게 자랐기 때문이다. 피바람이 불며 고통과 죽음의 공포로 도망쳤다. 옆집 장롱에 숨은 아이의 머리채를 잡아당기는 아버지라는 사람이 악마로 보였다면 지나친 걸까.

한 줄씩 써내려가는 지금 이 순간에도 먹먹한 가슴에 약간의 떨림이 느껴지며 8살 된 아이가 느꼈을 공포와 두려움이 안

타깝다. 그때도 역시 속옷 차림이었다. 70이 넘은 노부에게 이제 와 친자식을 왜 그렇게 때리셨느냐 따지는 것은 의미 없다. 거짓말을 하고 계속 오락실을 가면 나쁜 친구를 만나 인생 망칠까 그러셨다는데….

요즘 자주 생각나는 이유가 뭘까 했더니 나의 아들이 그 맘때가 되어서다. 아버지는 할아버지가 되었지만 내가 아이였을 때 박혔던 지독하고 끔찍한 트라우마가 아직도 홈을 파 기생하고 있어 그는 여전히 애증이 교차하는 복잡한 사람으로 남았다. 그 후에도 정도를 벗어난 아버지의 생각과 행동은 내 사춘기를 송두리째 흔들었고 깊은 골에 어둡고 습했던 상처는 끝없이 아득해졌다. 아직도 살의 각을 뜨던 차가운 겨울바람 냄새로 눈을 질끈 감는다. 내 가슴을 도닥이며 과거는 묻으라 설득 중이지만 완치는 장담할 수 없다.

아버지 사업이 기울어 그저 살아야겠다는 생각으로 시작한 포장마차가 가까스로 우릴 살렸지만 지나온 삶의 궤적을 볼 때 그 속에서 그는 철저히 빠져있었다. 손님들에게 술과 안주를 나르다 보면 송종 술주정뱅이들 틈에 끼어 소리 지르는 이가 아버지란 사실이 견딜 수 없었다. 그는 세상에 분노해 포효

하는 털 빠진 삶이었고 의견에 대립하면 누구든 적으로 만들었다. 가족들은 생사를 위해 낮과 밤을 바꿨다. 힘을 합쳐야 맞는 상황이었지만 그러지 않았다. 단지 아버지란 이름 하나로 이해하고 넘어가야 한다는 생각과 그에 맞서 어쩔 줄 모르고 방황하는 내가 매일 밤 치고받았다. 어느 누구도 나를 도울 수 없으며 스스로 저 문을 열고 나가야 끝이라는 막역함이 넘어야할 가장 큰 벽 중 하나였다.

조금 더 어린 나이로 올라가, 형이 군대를 가고 누나가 매형을 만나 살 길을 모색할 때 남은 사람은 나와 엄마 단 둘이었다. 매일 술로 시작해 술로 끝나는 그의 그릇된 행동에 저항할 사람은 18살 먹은 나 하나였고 마침내 형이 돌아왔을 때까지 홀로 견딘 2년은 힘을 길러야 산다는 진리에 닿게 했다. 그 진리가 빛을 발하기도 전, 아버지 몸에서 종양이 발견되었다. 그리고 그는 자신의 시대가 끝났음을 고하는 대수술을 받으며 마침내 피보호자가 됐다. 기력이 쇠한 탓인지 아버지의 거친 말투와 행동은 힘을 잃었다. 그 모습은 마음대로 살아온 당신의 과거에 대한 반성과 깨달음 같았다.

아버지처럼 살지 않겠다는 다짐에 나의 아들들을 더 많이 안아주고 사랑하며 쓰다듬지만 내 어릴 적 기억이 반대 영상을 쓰면 집중은 흐트러졌다. 가급적 매를 들지 않고 꼭 들어야 할 때 주변에 많이 꽂혀있는 양육서 지침대로, 왜 맞아야 하는 지부터 정해진 곳만 때린다까지 여러 가지 검증과 확인을 통한 지식에 근거를 살피고 또 살폈다. 아이의 낮은 눈높이에서 매를 든 사람을 올려다볼 때의 두려움, 그 공포가 어떤 것인지 누구보다 잘 알기 때문이다.

그렇게 영원할 것 같던 아버지 스타일은 손주를 만나면서 부드럽고 유연해졌다. 고집과 장인정신으로 버틴 40년 호랑이가 맑고 예쁜 어린 손주들에게 행복한 만세를 부른 것이다. 아쉬웠다. 진작에 그러했다면. 다행이었다. 지금이라도 그러해서.

그 변화의 시작으로 아버지가 편지를 쓰셨다.

막내야, 생일 축하한다.

아빠는 니가 두 아이의 아빠이면서

가장인데도 막내라고 부르는 것을

무척 즐겁고 행복하게 생각하기 때문에

그렇게 부른단다.

엄마, 아빠 앞에 의젓하게 잘 살아주어서 너무….

행복하고 즐겁단다.

많이 사랑한다.

아빠가.

봉투가 두꺼워 늘 쓰시던 엄마가 몇 장을 더 쓰셨구나 했던 것이 한 장은 아버지였다. 태어나 처음으로 받은 아버지 편지. 그 전에 있었다면 기억에서 지워졌다. 편지는 대단했다. 반복해 읽는데 기운이 강렬했다. 깊게 팬 상처에 새 살이 돋기까지 얼마나 걸릴지 모르지만 편지가 반창꼬가 되어 회복시간을 단축시켜 줄 거라 믿었다.

다음 날 답장을 썼다. 우표를 붙여 보내는 편지는 참 오랜만이었다. 덤덤히, 담대히, 넘치지도, 모자라지도 않을 만큼의 기분으로.

3일 뒤, 엄마에게 전화가 왔다. 아버지가 몇 번을 반복해 읽으셨노라고.

"모든 게 좋아지고 있고 앞으로 더 좋아질 테니 건강하시라는….".

태어나는 순간부터 이미 정해져 거스를 수 없는 혈血.

마음이 비켜가 어긋났어도 부모자식 간의 연은 사라지지 않는 성역이었다.

엄살 피지 말라는 독자가 계실 것이다. 나보다 더한 아버지를 포용했던 당신의 맘, 꼭 한 수 배우고 싶다.

세상에서 가장
아름다운 단어

　이미 다 죽어 숨도 못 쉬는 아들을 품에 안고 어미는 하염없이 눈물을 흘렸다.

　아비는 산에 묻을 때 쓸 도구를 챙기며 부모보다 먼저 떠난 자식, 인제 그만 내놓으라며 재촉했다. 어미는 마지막으로 아들을 한 번 더 바라보며 혀로 얼굴 여기저기를 핥았다. 아이 얼굴에 난 피고름 따위는 안중에 없었다. 차가운 흙 속에 묻혀 썩어버리면 영원히 못 느낄 가엾은 아가의 살결이 애닲게 그리울까 어미는 이마부터 턱까지 더욱 가슴 저미게 핥았다. 그러자 갑자기 아이 볼이 홍조를 띠며 붉은빛이 돌았다. 눈꺼풀이 떨리며 콧구멍을 씰룩거렸고 조금씩 칭얼대더니 이내 크게 울기 시작했다. 기적이었다. 다시 살아난 아이는 무럭무럭 자라

훗날 저명한 대학 교수가 되었다. 신바람 박사 故 황수관 박사 이야기다. 세상에서 가장 아름다운 단어 'Mother'란 주제로 TV에서 한 강연을 보면 눈물 참기가 어렵다.

유치원생 아들의 체육대회에 참가했다가 어깨뼈가 바스라졌다. 장시간 수술을 받고 눈을 뜨자 엄마가 쪼글해진 손으로 나의 얼굴을 쓰다듬고 계셨다. 타들어 간다는 표현이 부족할 만큼 목이 말라 물을 찾는데 나를 침대로 옮기던 간호사가 지금 마시면 큰일 난다며 말렸다. 3시간 정도 지나기 전까지는 절대로 안 된다는 것이었다. 나보다 더 타들어 가던 엄마는 거즈에 물을 적셔 내 입을 축였다.

한 방울이 아쉽게 쪽쪽 빨아먹는 아들 입이 마를까 물병을 들고 전전긍긍하던 그녀는 70을 목전에 둔 내 엄마였다.

바람머리에 가죽 재킷을 입고 오토바이를 타며 학원으로 출퇴근하던 나는 갑자기 열린 택시 문과 충돌해 하늘을 날고 응급실로 실려갔다. 왼쪽 무릎의 뭐가 찢어지고 터졌다는데 아파 몸부림치던 내 귀에는 들리지 않았다. 급히 달려온 엄마가 날 붙잡고 우셨지만 그 소리도 멀었다. 사고를 당하기 전, 사마귀가 날아와 입에 몇 번씩 붙어 놀라 깬 꿈이 생각났다.

겨울의 낭만 중 하나는 수북하게 쌓인 눈 위로 몸을 던지기다. 온 세상이 하얗게 변한 아침, 10살 아이는 눈 밑에 뭐가 있는지도 모르고 몸을 날렸다. 바람대로 멋진 장면은 나왔지만, 어른 손가락 길이만 한 쇠못이 손바닥을 뚫었다. 끼고 있던 두꺼운 장갑이 어느새 핏물로 흥건해졌고, 그 끝에서 방울방울 떨어지는 빨간 점들이 흰 눈을 녹였다.

집 앞에는 그레이하운드라는 고속버스 집결지가 있었다. 그곳 뒷 공터는 자동차에서 나오는 독한 매연을 맞고도 잘 견디는 키 큰 잡초 덕에 은밀하고 위대한 아지트가 돼 주었다. 하지만 아이가 깨진 콜라병을 맨발로 밟아 발바닥이 만신창이가 되면서 출입금지 구역이 되어버렸다.

밤하늘의 쥐불놀이는 아이의 꿈이었다. 형들이 만들어 돌리는 불꽃놀이 통은 호기심을 자극했고 옆에서 만드는 것을 지켜보던 아이는 몰래 깡통을 가져와 송곳으로 구멍을 뚫었다. 더 많이 구멍을 낼수록 쥐불이 아름다웠다. 탄력을 받으며 더 힘차게, 더 빠르게 송곳질을 하던 찰나, 비명이 일었다. 응급실의 레지던트들은 아이의 손가락에 난 구멍의 출혈을 막느라 분주했다.

높은 곳을 좋아했던 아이는 아버지의 작업실에서 놀다가 날카로운 유리가 잔뜩 들어있는 상자의 모서리를 밟고 올라섰다. 그때 무게를 이기지 못한 상자 끝이 무너지며 칼처럼 뾰족이 나온 유리가 종아리를 뚫었다. 생선 회를 가른 듯 희멀겋게 벌어진 살에서 수만 개의 뜨거운 점들이 피로 변하며 솟았다. 몇 수십 바늘을 꿰맸는지 알 수 없지만 30년이 지난 지금도 그 자리는 체모가 나지 않는다.

겨울 마당, 불에 달궈진 박카스 병이 터지며 구경하던 아이 목으로 병 조각이 튀었다. 바닥으로 쓰러진 아이는 떼굴떼굴 구르며 소리 질렀고, 목의 살점은 병 조각과 뒤엉켰다. 수십 년이 지난 지금도 여전히 크게 남아있는 흉터는 당시의 고통이 얼마나 심했을지 짐작게 한다.

매일 새벽 4시, 엄마는 따뜻한 물을 보온통에 담고 똥이 잔뜩 묻은 기저귀를 가방에 넣어 집을 나섰다. 담요를 겹으로 덮어 바람을 막아도 등에 업힌 아들은 가냘프게 킹킹댔다. 엄마는 장염으로 온전치 못한 아가의 똥을 하나씩 풀어 관찰하던 진짜 명의를 만나러 그렇게 몇 년을 새벽 버스에 오르셨다.

부자나 가난한 자나 어찌할 수 없는 것이 바로 '아픔'이다. 자식이 아픔에 고통스러워하는 것을 보는 엄마의 마음… 우리가 알 수 있을까. 만약 이해할 수 있다고 말한다면 너무 서둘렀다. 그것은 우리가 생각하는 것보다 훨씬 높은 곳에 있으며 어쩌면 죽는 날까지 닿기 어려울 수도 있다. 아무나 닿을 수 없는 곳이라 더 아름다운지도 모른다. 그래서 세상에서 가장 아름다운 단어가 Mother라고 하는 걸까.

하지만 나는 그에 버금가는 또 다른 단어로 Me를 꼽고 싶다. 그렇게들 부르짖는 효도라는 것도 결국 내가 나에게 더 많은 사랑과 정성을 들여 건강하고 행복할 때 비로소 시작된다고 본다. 우리는 태어나는 순간 기쁨과 설렘, 행복까지 이미 부모님께 다 드렸다. 훌륭한 사람으로 잘 커서 그들에게 보람, 명예, 용돈, 여행티켓, 손주를 안겨드리는 것은 덤이다. 철이 덜들었을 땐 사고치고 속상하게 만들며 방황했다지만 철들 나이가 되었을 즈음에 자기 일을 하고 짝을 찾아 가정을 이루어 하루하루 건강하고 즐겁게 살아주는 것이 그들을 가장 행복하게 만드는 효의 시작일 것이다.

그러려면 우선 내가 멀쩡해야 한다. 몸과 맘이 아프면 불효다. 불의의 사고로 혹은 예기치 못한 장애로 몸이 온전치 못하다면 마음은 더욱 견고해야 한다. 감히 그들의 아픔을 알지도 못하는 내가 이러쿵저러쿵 한다는 것이 우스울지 모르나 건강 이라는 질문에 거수를 부탁드리면 부정할 수 없는 것 또한 사실이다. 그 '멀쩡'을 계속 유지하려면 나를 좀 더 아끼고 사랑할 수 있는 방법을 개발해야 하며 그것을 꼭 이기적이지 않아도 되는 방법으로 실천해야 한다. 그쯤 되면 다른 고민이 고민다워 보이고 해결할 의욕이 생기며 더욱 빛날 수 있다.

세상에서 가장 아름다운 단어 'Me'.

그곳에서 비롯된 소중함이 내 부모, 내 가족, 내 주변을 더 행복하게 만드는 길이라면 우리가 주저할 이유는 없다. You를 모티브로 하는 사람들은 대부분 내면의 Me를 충분히 소화한 이들일 확률이 높으며 내공의 깊이가 남다른 것도 알 수 있다. 그에 도달하기 위한 첫 번째 관문으로 우리 앞에 Me가 있다. 나를 위하던 중 눈물이 "야"하고 부를 때 불러줘 고맙다며 인사 나눌 수 있는 여유와 배짱이 있다면 당신은 진정 세상에서 가장 아름다운 사람, Me다.

마치며

한 장 한 장 이 글을 쓰면서 수 없이 나를 의심했던 마음이 든 것은 겸손이냐 소심이냐의 기로에 섰을 때였습니다.

하지만 또렷하게 들렸던 확신 하나는 나의 글이 독자에게 어떤 형태로든 줄 수 있는 무언가가 있다는 믿음이었고 그 힘에 예까지 오게 되었습니다.

크기와 깊이만 다를 뿐 늘상 이어지는 잦은 실패와 성공은 처음도 끝도 '기분'이라는 동력에서 출발한다는 단순한 논리가 내 자신을 설득할 때, 좋은 기분을 찾아 생각과 시각을 바꾸게 된 것은 우연이 아니었습니다. 어쩌면 나는 이 작업을 통해 내 자신을 돌아보는 진짜 치료를 시작했던 것이고, 상당 부분 완쾌되어 지금은 순항 중이라는 사실이 그것을 입증합니다. 변화의 계기로 생각을 정리하다 어떤 의미를 부여하고 싶어 툭 던진 고백이 사람들을 짜릿하게 했을 땐 그야말로 새로운 감동이었으며 예상치 못한 또 하나의 잉여물이었습니다.

술을 마시고, 맛있는 음식을 먹고, 재밌는 영화를 보고, 경치 좋은 곳으로 떠난 여행처럼 기분을 전환할 수 있는 일들은 우리 주변에 많습니다. 하지만 그 중에 좀 더 깊이 남는 것은 남이 잘되는 것을 보면 기뻐하고, 슬픈 일을 보면 함께 아파하는 마음이 위로로 오갈 때인 것 같습니다. 가끔 남의 실패가 달달하게 느껴질 때도 있지만 시간이 지날수록 그런 기분은 끝이 씁쓸해 개운치 않습니다.

제 이야기가 여러분에게 어떻게 다가갔을지 궁금합니다. 제가 힘들게 겪었다고 하는 일들은 다행히 충분히 감당할 수 있을 정도의 크기였고, 그에 감사할 따름입니다. 사실 상심에 대한 보상이 가족과 일, 꿈이라 믿기에 나는 장사를 무척 잘한 셈입니다. 다시 돌아가 또 실패해 볼 생각이 있느냐 물으면 보상이 워낙 짭짤했기에 무조건 예스를 할 겁니다.

눈물은 지금도 자신이 없습니다. 사회적인 편견과 남자라는 멍에 따위에 휘둘리지 않고 당당히 감정을 표현하는 아름다운 눈물을 흘릴 자신 말입니다. 대신 그러기로 했으니 노력하는 순간부터 변할 수 있는 것은 맞습니다. 예찬은 과하다 싶을 만큼 많이 했으니 여러분만의 눈물 사용법을 만들어보시고 잘 숙지하시기 바랍니다.

온몸으로 책을 만들어주신 도서출판 이서원 관계자 모든 분께 감사드리며, 사랑하는 두 아들과 아내에게 이 책을 바칩니다. 고맙습니다.

오 현 승